업무명, 마을교육공동체

업무명, 마을교육공동체

지은이 김혜영
발 행 2017년 11월 15일
펴낸이 김진우 임종화
펴낸곳 좋은교사운동 출판부
출판등록번호 제2000-34호
주 소 서울특별시 관악구 남부순환로 218길 36, 4층
전 화 02-876-4078
이메일 admin@goodteacher.org

ISBN 978-89-91617-42-1 03370

www.goodteacher.org

좋은교사 연구실천 프로젝트 X 12

업무명, 마을교육공동체

김혜영

좋은교사

‖ 발간사

교육 난제는 현장 교사가 풉니다!

임진왜란 때 선조가 이순신에게 총공격을 명령했지만 이순신은 적의 유인 전략이라 판단하여 공격하지 않았던 일이 있습니다. 이로 인해 이순신은 관직을 박탈당했고, 대신 출정한 원균의 군대는 전멸하고 맙니다. 현장의 상황을 모르고 내린 결정이 얼마나 어처구니 없는 것인지를 보여주는 사례입니다.

"초등학교 사회 교과서는 대학생 교재보다 어렵습니다. 왜냐하면 그 많은 내용 요소를 압축적으로 구겨넣어 놓았기 때문이죠. 이런 교과서를 만든 사람이 한번 가르쳐보라고 하고 싶네요."

수업에서 학생들에게 배움의 기쁨을 누리게 하고 싶다는 것은 모든 교사들의 소망이지만 현장의 상황을 모르고 내려오는 교육과정과 각종 사업 등 수많은 장애물들이 우리의 발목을 붙잡고 있습니다.

"현장에 답이 있다"는 말을 많이 합니다만 교육정책을 좌우하는 관료, 교수, 정치인들은 현장 교사들의 목소리를 귀담아 듣지 않습니다. 이렇게 된 데에는 우리가 교육전문가로서의 교사의 역할을 적극적으로 찾지 못한 책임도 없지 않습니다.

이제 현장의 교육전문가인 우리 교사가 나서야 합니다. 우리 교육에는 수많은 난제가 산처럼 버티고 있습니다. 우공이산(愚公移山)의 결기로 우리 모두가 이와 씨름하는 일이 개미떼처럼 집단적으로 일어나야 합니다. 그러한 노력들이 격려되고, 공유되고, 확산될 때 우리 교육은 아래로부터 변화되어갈 것입니다. 이 과정은 교육전문가로서의 교사 성장에 큰 도전이 될 것입니다. 이를 통해 수동적 전달자가 아닌 능동적 연구실천가로 성장하게 될 것입니다.

좋은교사운동은 우리 교육의 난제를 현장 교사들의 힘으로 풀어나가는 프로젝트를 시작했습니다. 이름하여 "좋은교사 연구실천 프로젝트 X"입니다. X는 난제를 뜻합니다. 이제 X를 붙들고 고민한 결과가 세상에 모습을 드러냈습니다. 그 동안 바쁜 학교생활 가운데서도 시간을 쪼개어 문제와 씨름하는 노고를 감당하신 선생님과 멘토와 행정적인 모든 수고를 감당해주신 사무실의 간사님들과 연구위원장 조창완 선생님께 존경과 감사의 뜻을 전합니다.

- 2017.2.25. 좋은교사운동 공동대표 김진우

‖ 목 차

관양 마을 놀이터 앞 풍경

마을은 거기 있다

업무, 마을교육공동체 담당

2016학년도에 나는 5학년 교육과정과 마을교육공동체 업무를 맡았다. 마을교육공동체, 이 일을 고학년 부장 업무에 붙인 것은 별로 일이 없으리라는 교무부장님의 생각 때문이었다. 나름 배려해서 교무와 혁신 업무 가운데 몇 가지를 떼어 만든 약한 업무였다. 왜? 교육과정에 마음을 기울이라고. 하지만 혁신부장님은 조용히 내게 다가와 말씀하셨다.

"왜 이 일을 5학년에 줬는지 모르겠어요. 이게 복불복이야. 작년에 이 일을 맡으신 선생님은 일이 거의 없었어. 하지만 올해는 교장 선생님 의중이 어떠실지 몰라. 사업을 하게 되면 일이 엄청 많아질 텐데."

'어머, 그 말씀을 교무부장님께도 해 드리지 그러셨어요. 업무 조정할 때라도 말씀해 주시지.' 하는 말은 저녁에야 생각이 났다. 낯선 업무를 시작하면서 그나마 겁을 내지 않았던 것은 아마도 "김혜영, 같이 하자. 내가 도와줄게. 마을부터 한 번 돌자." 한 박은지 선생님을 비롯해서 함께 해 줄 선생님들이 계셨기 때문이다.

이 마을이 좋아서 그리고 안쓰러워서

나는 이 마을이 좋다. 요즘은 시, 도가 앞서서 마을 만들기를 한다고 하지만 사실 학교가 있기 전부터 이곳에는 마을이 있었다. 옛날부터 마을 사람들은 서로 기대어 살아왔다. 물론 공동체성은 전과 같지 않고 가족이 해체된 시대에 살지만, 마을은 늘 거기 있다. 모양은 소박해 보여도 혼자서는 도저히 살 수 없어서 서로의 이웃이 되어 살아간다. 노인정에 모이는 할아버지와 할머니, 놀이터에서 아이 키우는 이야기와 품을 주고받으며 사는 어머니와 아버지들, 구불거리는 거리와 관양 시장에서 물건을 사고파는 주민들과 상인들이 마을에 산다. 교회 목사님이 열어주신 동네 작은 도서관과 생강 라떼가 값싸고 맛있는 찻집, 지인이 언니가 하는 미술학원, 졸업생 상우의 3학년 때 모습을 기억하고 계신 피아노 학원 원장님까지, 모두 마을에 산다. 내가 어릴 적 누비던 동네와 닮은, 골목과 거리마다 이야기가 있는 마을이라 좋다.

한편 내 안에는 마을을 볼 때 느끼는 안쓰러움이 있다. 우리 학교의 정문과 후문에서 만나는 마을 풍경은 둘로 가른 듯 다르다. 정문에서 만나는 마을은 앞에서 말한 풍경이다. 대부분 이곳에 사는 아이들이 우리 학교에 다닌다. 하지만 학교 뒷문으로 같은 관양동인데 동편마을이라고 부르는 아파트 숲이 이어진다. 새로 닦은 도로, 작은 공원, 반듯이 줄을 선 빌라와 카페 거리가 깨끗한 느낌을 준다.

학교에서 마을로 가는 길

이 지역은 다른 학구다.(일부 공동학구인 곳도 있다.) 우리 학교 후문에서 9분 정도 걸어가면 나오는 이웃 초등학교는 2012년에 개교했다. 우리 학교가 2년 더 일찍 개교했는데, 이 학교에는 우리가 부러워하는 체육관과 시청각실이 있다. 학교 둘레를 살펴보면 지난해 6월에 개관한 새 도서관뿐 아니라 지역아동센터, 유기농 매장, 은행, 학원 따위의 편의 시설이 이용하기 쉽게 큰 상가 건물에 모여 있다. 나는 서로 다른 풍경이 왠지 마음 쓰인다. 특히 안양시립관양도서관을 보면 살짝 속상하다.

2016년 6월 개관한 안양시립관양도서관

“이렇게 좋은 도서관이 하필 이곳에 자리잡았을까? 마을 가까이 있는 분들은 좋겠지만, 이런 혜택을 우리 학교 아이들도 가까이에서 누리면 좋으련만. 새 건물이 여기 다 모였네.” 하는 말이 절로 나온다.

나는 두 학교가 얼마나 다른지 궁금해서 관련 자료를 찾아보았다. 우리 학교와 이웃 초등학교의 입학생 수의 변화를 2014년부터 살펴보면 아래 그래프[1]와 같다.

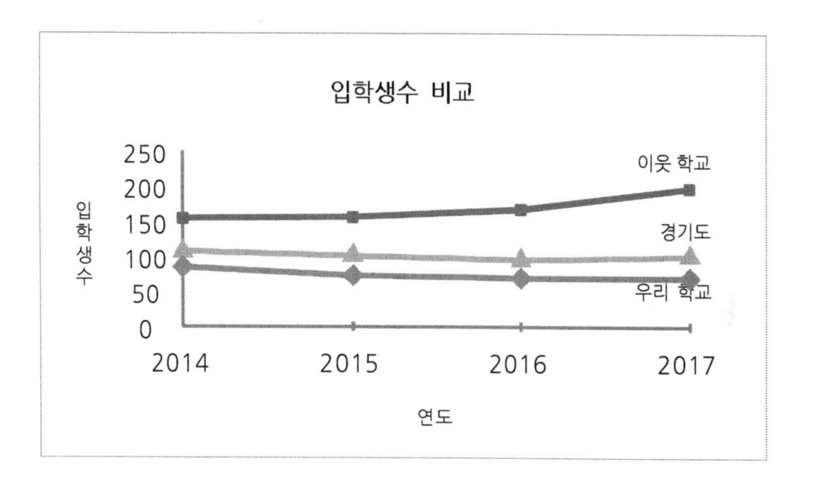

그래프를 보면 해마다 우리 학교에 입학하는 학생들은 서서히 줄어드는데 2017년 이웃 학교에는 입학생이 192명으로 급격히 늘었다. 늘어난 인원으로 볼 때 공동학구에 있는 학생들도 우리 학교보다는 이웃 학교를 선호한다. 이웃 학교는 이런 변화에 대비하여 신입생을 위해 교실 18개와 특별실 7개를 증축[2]했다. 이 학교에 학생 수가 늘어나고 주변 시설이 좋아지는 일을 무조건 시기하지는 않는다. 아이 키우기 좋고 살기 편한 환경을 찾아 사람들이 모이는 일은 당연하다. 이 학교 학생과 주민들은 충분한 녹지 환경과 각종 편의 시설이나 문화 시설을 누릴 권리가 있다. **권리가, 있다.**

1) 학교알리미 서비스 입학생 현황 참고
2) 학교알리미 서비스 교사현황 참고

하지만 그런 만큼 우리 학교 아이들과 주민들에게도 그럴 **권리가, 있다.** 집값이 비싼 그곳으로 이사 가지 않더라도 지금 사는 곳에서도 세금의 혜택을 똑같이 누려야 하지 않을까? 안양시의 세금으로 지은 시립도서관이라면 관양동 전체 학생과 주민의 동선을 생각해 자리 잡아야지 일부 주민 전용으로 만들어서는 안 된다.

마을 자세히 들여다보기

관양동, 학교 둘레인 관양 1동을 좀 더 자세히 들여다보자.[3] 관양 1동의 면적은 안양시의 5.45%를 차지하고, 이곳에는 초등학교 셋, 중학교 하나, 고등학교 하나가 있다. 사회복지 대상자 현황은 아래와 같은데, 관양 1동과 가까운 비산 3동과 달안동의 현황과 비교하여 알아보았다.

〈사회복지 대상자 현황〉

	계	기초생활	한부모가정	가정위탁아동	장애인
관양 1동	2,944	744	523	62	1,625
비산 3동	760	523	237		
달안동	164	132	32		

(2016년 기준, 동사무소 홈페이지)

관양시장 너머에 있는 비산 3동은 아파트도 있지만 주택가도 있

3) 관양 1동 행정복지센터 홈페이지

는 동네이다. 관양 1동과 하천을 사이에 두고 있는 달안동도 작은 규모의 아파트가 많아 유동인구가 많은 동네이다. 이 동네들과 비교했을 때 저소득층이 압도적으로 많다. 학교 수가 더 많은 관양동에는 가정위탁아동도 많지만 청소년을 위한 시설이 따로 없다. 그건 그렇다 치고, 장애인의 수가 안양에서 가장 많은데 장애인들을 위한 복지관조차 없다.

동 내에 경로당 상세 현황을 보면 총 9개의 노인정 가운데 4개가 동편마을에 있다. 우리 반 아이들 하는 말이 종종 놀이터에서 놀 때면 할아버지, 할머니들이 다른 데 가서 놀라고 타박을 주신다고 한다. 아이들이 겪는 일이 노인정 시설 문제와 무관한지 한 번 생각해 볼 일이다. 아이들이 살아가는 마을을 자세히 들여다보니 마음이 복잡하다.

지속 가능한 마을 발전

'언젠가 이곳을 위한 도시 계획 발표가 나서 이 주택가를 다 밀어내고 새로 지을 때까지 주민을 위한 시설을 짓는 일을 보류하는 걸까' 하는 생각마저 든다. 하지만 이러한 개발이 이 지역 사람들에게 가장 좋은 방식인지 의문이 든다. (물론 환영하는 주민들도 계시리라 생각하지만.)

2000년대 초반 강북에 뉴타운을 건설한다는 발표가 나자 그곳에 살고 있는 이들이 우리도 강남 못지않게 살 수 있다고 기대했다.

하지만 투기 자본이 몰리면서 천정부지로 치솟은 분양가를 감당하지 못해, 원주민의 정착 비율이 고작 17.1%[4]였다는 지식채널e 내용을 생각한다. 82.9%는 어디로 갔는가? 이런 개발로는 서민들의 주거난이 더욱 심해질 뿐이다. 살아온 환경을 완전히 쓸어내고 지내온 역사는 끊어내고 뚝딱뚝딱 짓는 일이 발전일까?

건축가 정기용(1945-2001)이 건물을 짓는 방식[5]은 좀 다르다.

"건축가로서 내가 한 일은 원래 거기 있었던 사람들의 요구를 공간으로 번역한 것입니다."

면사무소 1층에 목욕탕을 만들고, 둘레의 등나무 넝쿨로 관중석을 장식하며, 주차장을 지하로 넣어 시민들에게 돌려주고, 면사무소 마당에 작은 천문대를 만들어 주민들의 자부심을 높여준 무주 공공건축프로젝트 이야기를 떠올린다. 다 뜯어내고 새로 짓는 방식이 아니라 그 곳에 사는 주민들을 찾아다니며 필요를 듣고 마을 풍경을 최대한 살리는 방식이야말로 언젠가부터 소리 높여 말하는 지속가능한 발전이라고 생각한다.

나는 시장도 아니고 건축가도 아니지만, 이 마을에서 아이들을 가르치는 교사이자 마을교육공동체 담당자로서 아이들의 삶을 중심

---

4) ebs 지식채널 e '17.1%'
5) ebs 지식채널 e '건축가 정기용'

으로 둔 지속가능성을 생각하고 가야 한다고 다짐했다. 새로 일을 벌이기보다 이미 가진 것을 자세히 보고 귀 기울이자. 그렇게 알게 되는 일과 사람을 연결하자. 이 일에 내 마음이 흐른다. 앞으로 뭔가 잘 되었으면 좋겠다. 이제껏 내가 맡았던 업무는 나이스 시스템을 다루는 일, 천만 원이 넘는 돈을 선발한 학생 스무 명에게만 쓰는 일이었다. 이제껏 맡았던 업무보다 이 마을업무가 교사로서 보람 있을 것 같았다. 나는 살짝 불타올랐다.

찾았다, 들무새

첫 공모 신청은 학부모 아카데미

'이제 봄방학은 없는 겁니다.'

2015학년도 종업식을 마치고, 며칠 뒤 출근을 했다. 새로운 교실을 정리하고, 워크숍을 하고, 교육과정 계획도 한다. 교실에 있는데, 교감선생님이 교장선생님의 뜻을 전해주셨다. 교육청에서 공모하는 학부모 아카데미 사업에 계획서 한 번 내보라는 말씀.(이것이 교장선생님의 의중일까?)

공문을 읽어보니, 학교에서 학생들의 교육활동을 지원하는 학부모 아카데미를 열어 교육기부자를 양성하는 사업이다. 예산은 400만원. 안양시청 미래인재센터에서 하는 사업을 교육청에서도 하겠단다. 안양시에서는 2013년부터 미래인재센터를 두고 다양한 교육 콘텐츠를 개발하고 있다. 그 사업 가운데 생태교육, 조형예술교육, 진로통합교육 분야에 학부모 교육기부자 양성 아카데미를 열어 운영한다. 과정에 참여한 학부모님은 학교 교육과정과 수업을 진행하는 역량을 기른다. 지금은 잘 정착되어 학년 초에 공문으로 학교에서 수업 신청을 하면 대표 강사분과 과정을 수료한 실습 어머니(반당 6-12명)들이 오셔서 아이들한테 알찬 수업을 지원해주신다. 활동하는 교육기부자들에게는 미래인재센터에서 교통비와 식비 정도를 지급한다고 들었다. 생태와 조형예술 분야는 우리 학교도 교육 기부를 받는다. 만족도도 크다.

우리 학교는 맞벌이 가정이 많아 참여할 분들이 별로 없을 텐데. 그냥 안 되겠다고 말씀드릴까? 망설이다가 전화기를 다시 내려놨다. 누구와 이 일을 의논할까? 퇴근길에 생각한다. 생으로 만들라고 하면 못하겠다. 사실 불가능한 일 아닌가? 주제 정하고, 계획 세우고, 강사 섭외하는 일을 2월에 공문을 받은 교사 한 사람이 어떻게 하겠나? 학교에서 원하는 자세한 그림도 없었다.

어쩌지?
아, 생각났다.

'들무새'

우리 학교에 들무새 학부모동아리가 있다. 금요일 아침마다 책을 읽어주시는 어머니 봉사 동아리다. 사서 선생님께 사업 이야기를 전하고, 이 일을 의논할 분을 소개해 달라고 부탁했다. 부회장 어머님과 통화를 했다. 이 봉사 모임이 생긴지 10년이 되었다는 말씀에 놀랐다. 처음에 이 모임을 만든 어머니께서 여전히 활동하신다는 말에 또 놀랐다. 어머니들은 금요일 아침마다 각 반으로 들어가 준비한 동화책을 십 분 동안 읽어주신다. 일 마치면 도서관 모둠학습실에 모여 교실 활동에 대한 피드백을 나누고, 두 시간 정도 자체 연수를 열어 서로의 성장을 돕는 일을 한다고 하셨다. 일주일에 한 번 십 분의 활동을 꾸준히 함께 돌아보는 것도 놀라운데, 앞서 배운 어머니가 연수로 봉사하신다니 이 분들의 열정과 정성을 그동안 알지 못했구나 하는 생각이 든다. 또한 여름과 겨울에는 하루 프로그램으로 독서캠프도 하신단다. 해마다 봉사 신청을 받아도 어머니들이 많이 지원하지 않아 어렵지만, 꾸준히 하는 분들은 이 일에 대한 자부심과 보람을 많이 느낀다고 하신다. 귀한 모임이 여기 있구나 싶었다. 사업 이야기를 듣고 태윤 어머님은 며칠 고민하고 역사 북아트나 비경쟁 토론 분야로 아카데미를 열고 싶은 뜻을 보였다. 들무새 어머니들도 그동안 봉사로 해 온 일인데 이번에는 지원받을 수 있다니 반겨했다. 나로서는 “Thank you!”였다. 어머니께서 교육일정과 내용, 강사 섭외, 예산 계획까지 세워 보내주셨다. 나는 계획서 내용을 교장선생님께 말씀드리고 공모서 양식에 맞게 다듬어 신청했다.

□ 들무새 아카데미(기본) 운영 개요

구분	내 용
연수명	들무새와 함께 자라는 아이들
일정	2016.4.29~2016.12.31 금요일 오전 10:10~12:00
대상	학부모 18명
내용	○교과와 연계된 통합적인 독서교육으로 구성하여 운영한다. ○많은 독서활동 경험할 수 있는 기회를 만든다. ○수료 중 아이들과 참여하는 프로그램을 만든다.
장소	안양관악초등학교 도서관 모둠학습실

□ 운영프로그램

차시	일정	주제	세부 내용
1	4/29	오리엔테이션 마음 열기	•일정소개 •역사북아트-역사를 쉽게 이해, 정리하는 방법 •북아트를 교육적으로 활용하는 방법-딱지책
2	5/20	북아트	•한장으로 만들 수 있는 다양한 북아트 -기본한장책
3	5/27	북아트	•역사관련 개념과 역사공부의 필요성 이해 및 도서 선택방법-액자책
4	6/10	북아트	•창의력 훈련법과 문화재 명칭 붙이는 법 -뫼비우스요술책
5	6/17	북아트	•창의적인 문화재를 시대별로 알아보기 -8면 접기책
6	6/24	북아트	•고조선부터 시대별 시조와 역대대통령 계보 알아보기-주름책(인물한국사연표)
7	7/8	북아트	•왕조를 통해 역사논술하는 방법배우기 -상자책
8	7/15	북아트	•지도를 읽는 법과 영토변화 이해하기 -한장요술책

9	9/9	북아트	•국내에서 벌어진 전쟁을 통사로 배우기 -격자무늬 요술책
10	9/23	북아트	•고조선부터 남북국시대까지 대표 유물유적 중심으로 통사 이해하기-돌고 도는 요술책
11	9/30	북아트	•고려시대부터 현대까지 대표 유물유적 중심으로 통사이해하기-한국사연표(주름책)
12	10/14	북아트	•역사수업계획하기 -회전책
13	10/21	독서	•**그림책 작가와의 만남**-그림책놀이로 만나는 세상이야기 (1.가족이야기,2.친구이야기,3.사회이야기,4.표현과 예술이야기) 강사:이루리(동화작가.북극곰 편집장) •**원화전시를 통한 아이들의 창의적인 독후활동지원**
14	10/28	독서	우리아이와 함께 시작하는 인문고전독서
15	11/11	독서	독서지도 어떻게 할까? -독서지도에 대한 부모의 역할과 주관성
16	11/18	독서논술	독서논술 지도하는 방법 -초등 글쓰기 코칭 방법
17	11/25	토론	나눔에 대한 이해와 에르디아 실제 활동 아이스브레이크. 도서읽고 토론활동
18	**12/9**	토론	공감에 대한 이해와 에르디아 실제 활동 아이스브레이크. 도서읽고 토론활동
19	**12/29**	**워크샵 (교육기부)**	**아이들과 역사 북아트 만들어보기**
20	**방학중**	**워크샵 (교육기부)**	**겨울방학특강(공감에 관한 에르디아활동,걱정인형 만들기 체험 포함한 통합프로그램으로 구성)**

교육기부자 양성, 괜찮을까?

들무새 아카데미는 18명의 어머니들이 금요일에 2시간씩 모여 4월부터 12월까지(총 40시간) 꾸준히 모였고, 여름과 겨울에 아이들을 위한 독서 캠프를 열었다. 감사하게도 사서선생님과 부회장님의 도움으로 무리 없이 끝났다, 하고 말하고 싶지만 한 가지 일이 있었다. 2학기에 교장선생님이 한 번 부르셨다. 다른 학교에서 인형극 아카데미를 열었는데, 400만원의 예산으로 인형극에 필요한 재료를 사서 어머니들이 배워 많은 학생들한테 시연하시고 가까운 기관에서 교육기부를 한 사례를 보고 오신 모양이다. 같은 예산을 쓰는데, 학생들에게 돌아가는 일이 독서캠프만 있고, 재료비의 대부분이 어머니들이 실습할 때 들어간 일이 못내 서운하신 듯했다. 400만원은 결코 적은 돈이 아니라고 말씀하셨다. 이 일에는 좀 더 고민이 필요했던 걸까?

2017학년도에도 교육청 학부모아카데미 사업은 이어졌다. 지난해에 비해 올해는 학부모회가 틀을 잡았다. 내가 없이도 학부모회가 아카데미 사업은 올해 어떻게 할지 의견을 모았다. 여러 의논을 거쳐 올해도 들무새 아카데미 심화과정으로 공모를 하게 되었다. 지금도 금요일마다 한층 나아간 연수를 20회(2시간) 이끌어가는 중이다. 어머님의 역량이 참 대단하다. 어머니들이 즐겁게 배우고 교육기부를 실천하는 자리를 이끌어 가는 모습에 박수를 보낸다.

□ 들무새 아카데미(심화) 운영 개요

구분	내 용
연수명	들무새 아카데미
일정	2017.5.~2017.12. 금요일마다 10:00~12:00(2시간 20회 운영)
대상	학부모 20명
내용	*역사를 북아트로 간편 정리하고 수업에 이용할 수 있는 방법 *우리 고장의 역사 유적지를 알고 아이들에게 알리는 방법 *헌 그림책을 나만의 책으로 만들어 재활용하는 방법 *명화를 통한 역사 이해 *그림책작가와의 대화 *학교 수업과 연계하는 다양한 교육기부를 실천
장소	안양관악초등학교 도서관 모둠학습실

□ 운영프로그램

차시	일정	주제	세부 내용
1	5/12	오리엔테이션 및 마음열기 생태,역사	•일정소개 •우리 동네 유적지(청동기)알기 •우리 동네의 역사를 수업에 활용하기
2	5/19	북아트	•역사북아트-역사를 정리하는 방법 •태극기와 애국가에 대한 이해 및 수업에 활용하는 방법-끼움책
3	5/26	북아트	•무궁화,국새,국장에 대한 이해 및 수업에 활용하는 방법-한장책
4	6/2	북아트	•문화상징의 역사 이해 및 수업에 활용하는 방법-색인책
5	6/9	북아트	•독도,돌,도자기 등 자연문화를 소재로 수업에 활용하는 방법-펼쳐세움책
6	6/16	북아트	•역사적 상징 및 오방문화를 수업에 활용하는 방법-액자책
7	6/23	북아트	•김치와 한복을 소재로 수업에 활용하는 방법 -주머니책
8	6/30	북아트	•한옥을 소재로 수업에 활용하는 방법-사각무대책

9	7/7	북아트	•전통놀이를 소재로 수업에 활용하는 방법-오각주머니책
10	7/14	독서	•그림책 작가와의 만남 -그림책과 캐릭터 -북극곰 편집장 이루리 작가
11	7/21	독서	•작가와의 만남 별자리의 유래와 열두 별자리 에너지의 특성을 이해함으로써 나를 이해하고 우리 가족을 이해하는 시간 -북극곰 대표 이순영 작가
12	7/27	워크샵 (교육기부)	•우리 학교 최고의 보물을 찾아라 -자신감, 논리적 추론력 기르기
13	9/1	팝업북아트	•헌 그림책 팝업북으로 만들기 -정크북아티스트 안선화
14	9/8	명화논술	•명화를 읽는 방법 •동양화와 서양화
15	9/15	명화논술	•우리나라 전통 민화 이야기 -까치와 호랑이
16	9/22	명화논술	•단원 김홍도(무동)
17	9/29	명화논술	•빈센트의 방(고흐)
18	10/13	명화논술	•인형을 든 마야(피카소)
19	10/20	명화논술	•건초더미 연작(모네)
20	12/27	워크샵 (교육기부)	.나와 우리 가족의 별자리는? -별자리의 유래와 특성을 이해한다.
21	12/28	워크샵 (교육기부)	.나만의 팝업북 만들기 -헌 그림책으로 나만의 팝업북 만들기
22	12/29	워크샵 (교육기부)	.명화를 통한 논술 -명화로 재미있는 독후 활동하기
23	18. 1. 3	워크샵 (교육기부)	.옛날 사람들은 무슨 옷을 입었을까? -5.6학년 학생들의 역사수업 연계 -수업 후 북아트로 마무리
24	18. 1. 4	워크샵 (교육기부)	.법으로 보는 옛날 사람들의 생활 -법으로 역사의 흐름을 되짚기
25	18. 1. 5	워크샵 (교육기부)	.조약으로 보는 사회 문화 -조약으로 쉽게 역사 이해하기

올해는 회장으로서 심화 과정을 운영하게 된 어머님과 이야기를 나눌 기회가 있었다.

"어머님, 올해도 심화 과정을 운영하신다고 들었어요. 지난해에도 강사로 고생을 하셨는데, 어떠셨어요?"

"좋은 기회를 또 주셔서 감사하고 있어요. 작년에 어머니들이 만족도가 높았어요. 그리고 좋은 일이 있어요. 열 세 분이 수료하고 몇 분이 취직하셨어요."

반가운 소식인데 다시 생각해보니 '이거 괜찮을까?' 고민이다. 지역경제를 생각하면 좋은 일이나 교육기부자 양성을 목표로 한 사업이 뭔가 취지를 잃은 것은 아닌가 싶었다. 물론 이 아카데미를 통해 우리 학교 어머니들의 역량을 높이고 더 많은 아이들이 독서캠프의 혜택을 얻었지만, 교육기부자 인력풀을 만들어 다른 학교까지 확대, 운영하려는 교육청의 취지와는 좀 멀어지지 않았나 싶다. 아카데미를 수료한 어머니들은 그저 교육기부자 현황에 숫자로만 존재하는 건 아닐까?

얼마 전에 혁신교육지구 교육청 토론회에서 미래인재센터 대리님을 만났다. 조형예술 교육기부자 어머니들이 올해 많이 그만 두었다며, 2학기에 신청한 교육 기부 수업에 대해 의논하러 학교로 온다고 했다. 그럴 수 있다고 생각한다. 우리 아들 친구 엄마도 이 조형예술 과정을 마치고 안양 내 초등학교와 중학교에 교육기부 활동을 한 이야기를 들어서 자세히 안다. 교육기부, 참 의미 있는 말이지만 지속적으로 적지 않은 시간과 힘을 쓰는 일을 기부로만 해야 하는 일은 어렵다. 기부는 선택이지 의무가 아니지 않은가. 내 아이, 우리 학교 아이들한테는 기부할 수 있다지만 다른 학교 아이들에게까지 기부하는 일은 아직 무리라는 생각도 든다.

학교에서 아카데미를 여는 일도 좀 더 신중해야 한다. 충분한 준비나 합의 없이 교육청 사업으로 시작한 학부모 아카데미 사업. 그나마 우리 학교에는 들무새 동아리가 있어서 가능한 일이었다. 들무새에서는 앞으로 책 읽어주는 활동 이외에도 기회가 된다면 교사들과 함께 협력 수업에 대한 마음도 있다고 하니 연결점을 찾아봐야겠다. 업무담당자로 첫 공모를 진행하며 소통이 얼마나 필요한 일인지, 학교가 얼마나 소통하는 데 서툰지, 학부모회가 제대로 조직을 갖추는 일이 얼마나 중요한지 알게 되었다. 그래도 이렇게 시작하고 있다는 데 위안을.

문 두드리는 이, 파랑새[6]

똑똑, 마을에서 왔어요!

우리 학교에서 마을과 일을 시작한 때가 2015년이다. 우리 마을에는 좋은 마을을 꿈꾸며 협력할 분들이 꽤 있었다. 골목운동을 시작한 파랑새님이 YMCA 대표, 벼리학교(대안학교) 선생님과 찾아와 학교 문을 두드렸다. 경기도 마을 동아리 사업을 신청한 그 분들은 학교와 협력하고 싶어 했다. 교장 선생님도 반겨 맞으셨다. 몇 차례 마을 분들과 교사들이 워크숍을 했는데, 터놓고 말해 교사들은 왜 우리가 여기 모여야 하는지 모르고 "워크숍 하니 모이세요." 하면 내려가고, "벼리학교 교육과정 설명해 주신대요." 하면 내려가서 듣고 그랬다. 그 해에 마을 동아리 '골목대장'은 돗자리 영화제, 놀이터 벼룩시장도 열고, 4학년 아이들과 함께 골목 대문에 그림 그리기 활동도 했지만 해당 부장님, 선생님, 학년의 일이지 그때만 해도 내 일로 크게 다가오지는 않았다. 그래도 이 일로 주민과 교사가 서로 얼굴을 트고, 학교가 마을에 눈길을 주는 계기가 되었다.

6) 마을 주민끼리 부르는 별칭이 있다. 뒤에 나오는 별칭들도 마찬가지.

정다운 골목 풍경

학교와 현장 활동가가 소통하기

특히 파랑새님을 만난 일은 무척 흥미로웠다. 파랑새님은 첫째 아이를 우리 학교에 보낸 학부모(들무새 창단 멤버)이고, 생태교육 활동가이기도 하다. 이 분이 사는 골목에 여덟 가정이 차 없는 골목, 아이들이 오는 골목을 만들자고 뜻을 모았다. 정다운 골목에 안양시 도시 농부들이 만들어준 상자 텃밭을 두고 채소와 꽃을 심고, 바닥에는 그림을 그려 골목으로 아이들을 초대했다. 이 골목은 기사와 방송으로도 나왔다.[7] 귀한 일 하는 분이다.

나는 이 분과 이런 저런 일을 하면서 학교가 일하는 방식에 대해 생각했다. 2016년 학기 초에 둥글게 둘러앉아 하는 교직원 회의에서 마을 교육과정과 관련해서 선생님들께 이야기했다. 내가 겪어보니 파랑새님과 일하는 일이 쉽지 않다고 말했더니 교무부장님이 격하게 공감하신다. 그분의 일하는 방식은 학교가 일하는 방식과 달랐다. 몇 가지 에피소드를 소개한다.

에피소드 하나

2015년 6학년 부장인 나는 '면담' 단원을 색다르게 수업하고 싶었다. 마을 주민들과 워크숍을 마치고 나서 파랑새님을 찾아갔다.

"... 아이들이 마을 주민들을 만나 면담을 하면 더 즐겁게 공부할 수 있을 것 같은데, 함께 할 방법이 있을까요?"

---

7) 네이버에서 '안양관악초'를 검색하고, 관련 동영상을 찾아보면 티브로드 김지영 기자가 취재한 '아이들이 꾸민 골목 이야기'가 나온다.

파랑새, 펭귄(함께 오셨던)님은 몹시 반가운 기색을 보였다.

"너무 좋지요. 너무 재미있겠는데요? 직장 다니다가 그만두고 의대 간 친구가 있는데 그 친구도 부르고, 떡집 사장님도 재밌거든요. 알고 있는 몇 분을 더 섭외해 볼게요. 아, 시장님은 어떠세요? (응? 일이 커진다?) 시장님이 시간이 되시는지 알아봐야겠네요. 시장님이 오시면 기자들이 올 수도 있어요. 제가 섭외해 보고 선생님께 연락을 해 드릴게요. 장소는 골목에서 하면 좋겠네요."

뭔가 새로운 일이 이루어질 것 같아 기대감에 들떴다. 6학년 선생님들께 면담의 개념이나 방법을 미리 수업해 두면 실습은 마을 주민과 할 수 있겠다고 설명했다. 선생님들은 아이들 자리는 어떻게 배치할지, 4차시로 운영한다면 면담 시간은 어느 정도 해야 할지, 아이들 동선은 어떻게 해야 혼란이 없을지 이런저런 고민을 함께 해주었다. 나름 흐름도를 그려놓고 기다렸다, 일주일이 지나도 연락이 없다. 계획서를 짜야 하는데... 파랑새님과 통화했다.

"현재 시장님하고 섭외하고 있고요. 학교에 돗자리가 있을까요? 10-12명 정도 섭외할 수 있을 것 같아요. 이런 콘셉트 어떨까요? 경기도를 위해 일하는 사람들, 안양을 위해 일하는 사람들, 관양동을 위해 일하는 사람들로 나누어서요. 골목에서 간식은 준비하도록 하겠습니다."

"네, 좋습니다. 파랑새님, 선생님들과 의논했는데요, 아이들이 관련 인사를 찾아가는 방식보다는 인사 분들이 이동하시는 방법이 덜 번거로울 것 같아요. 면담 시간은 10분 정도 하고요. 제가 흐름도를 정리해서 보내 드려 볼게요."

"네, 좋습니다. 아무래도 시간도 확인해야 하고, 각 돗자리에 면담 진행을 도울 진행자도 제가 섭외해 보겠습니다."

이렇게 이야기를 나눴지만, 안타깝게도 일을 진행하던 중에 메르스로 온 국민이 걱정에 휩싸여 이 일은 당분간 연기했다. 메르스 사태가 진정될 무렵 다시 이야기를 꺼냈지만, 뭔가 파랑새님이 좀 바빠진 것 같은 느낌이 들었다. 또 시장님은 일정이 안 된다고 하고. 결국 면담 계획을 취소하고 아이들은 학교 내에서 면담을 진행했다.

에피소드 둘

관악산 체험 학습을 갈 때도 비슷했다. 제안을 하면 반겨 맞이하고, 아이디어를 내고, 지원을 약속하고, 매우 바쁘게 움직이는데 학교와 수업 흐름을 의논하지 않고 하루 전날 교안을 보내주었다. 생태교육기부 어머니(각 반에 4분)들이 두 번이나 답사를 다녀왔으니 문제없다고 했지만 내가 아는 장소와 그 분들이 계획한 장소가 달라 학교에서 계획한 일이 틀어져 약간 소동을 겪었다. 떠오르는 대로, 유연하게 움직이는 그 분을 따라가는 일이 쉽지 않았다. 부장 업무가 처음인 나의 미숙함도 한 몫 했지만, 다른 학년 부장님들도 공감하는 부분이었다. 학교에서 일할 때는 미리 계획서가 나와야 한다. 일의 순서와 담당자가 정해져야 한다. 돈은 얼마 쓸지 예산을 세워야 한다. 즉흥으로 하는 일, 특히 돈을 쓰는 일은 행정실과 함께 하는 일이니 신경을 써야 한다. 만들어가는 교육과정을 이야기하지만, 중간에 변경하는 일에도 절차가 있다. 학교가 움직이는 일은 꽤 신중하다.

에피소드 셋

2016년에는 은지 선생님과 따로 시간을 내어 파랑새 선생님 댁에서, YMCA 별관 당나귀에서, 학년실에서 만나 마을 이야기를 나눴다. 이야기를 나누면서 교육과정과 연결한 '마을로 가는 소풍'(2016)을 기획했다. 나는 이 일을 할 때는 파랑새님께 학교에서 일을 하는 방식도 고려해주길 부탁했다. 미리 함께 의논해서 계획하길 바랐다. 계획대로 된 일도 있지만 중간에 변수도 있었다. 취지는 좋았지만 단오체험을 재해석한 일을 2학년 선생님들에게 당일에 설명하고 진행해서 선생님들이 황당해하기도 했고, '골목에서 두부 만들기' 체험은 4학년 선생님들과 정한 날짜를 여러 번 바꾸다가 못하게 되었다.

서로 소통하는 일이 서툴러도

2017년에는 파랑새님이 다른 움직임을 보이고 있다. 작년에 학부모 세 분과 지역 주민 여섯 분이 따마네(**따**뜻한 관양 **마**을 **네**트워크의 줄임말)를 발족했는데, 파랑새님은 올해 경기도 따복공동체 지원센터[8] 사업에 공모해서 받은 예산으로 학교 밖에서 마을 단체들과 만나고 있다. 우리가 이야기를 주고받았던 관양동의 쓰레기, 통학로 안전 문제를 해결을 위해 주민들과 지속적으로 만나 해결방법을 찾고 계신다고 들었다. 학교와는 지난 7월 4학년과 의논하여 통학로 화단에 자동 급수대를 디자인하여 설치하는 일을 했다. 파랑새님도 전보다는 더 조심스레 제안하고 구체적인 일을 의논해서 마무리했다.

마을교육과정을 운영하려면 소통이 평소보다 더 많이 필요하다. 교사 혼자 수업을 해나갈 때와 아주 다르다. 관리자, 학년(학교) 선생님들, 마을 주민들이 충분히 이야기를 주고받아야 한다. 이 과정에서 학교가 열린 마음으로 좀 더 유연하게 움직이도록 절차를 간단하게 만들어야 하겠지만, 교사는 여러 학생들을 책임지고 있어 더 신중할 수밖에 없으니 마을도 학교와 소통하고 알맞은 절차를 존중해 주어야 한다.

여러 일이 있었지만 파랑새님이 학교의 문을 두드려 주어서 좋았다. 우리 학교는 마을과 함께 단오체험(2학년), 목화 심기, 골목 대문에 그림 그리기(4학년), 통학로에 꽃 심고 골목에서 간식 먹기(5학년), 마을 인사와 벽화그리기(6학년, 이것은 관양 2동 사무소 마을코디 분과 했다)를 함께 했다. 아이들은 들뜬 마음으로 '마을로

8) 마을공동체 활동과 사회적 경제를 통합 지원하는 기관.

가는 소풍'을 즐겼다. 아이들은 단오날에는 전통 오방 팔찌 대신 오방꼬치를 만들어 먹고 꽃 이름, 나무 이름 알려주는 어머니들과 산으로 놀러가기도 하고, 목화씨는 오줌에 넣었다 파종한다고 오줌을 받으며 깔깔대기도 했다. 청년 봉사단체 쓰봉 형, 누나와 함께 통학로 화단에 꽃을 심고, 조금만 걸어 나가면 나오는 동네 골목에 돗자리를 펴고 앉아 간식을 먹을 때는 또 어찌나 들떴는지. 마을에서 풍성한 경험을 누리는 복은 우리 학교 아이들이 가진 특권이다. 실천가로서 마을의 의미를 발견하고 마을에서 일어난 일을 해결하려 애쓰며 변화를 만드는 분을 알게 되어 영광이다. 이 분이 마을에 있어 참 좋다.

꿈꾸는 자가 온다, ★

예정일이 코앞인 꿈의 학교 예비 교장을 만나다

처음 별님을 만났을 때 그분은 임신 중이었다. 3월 말에 출산이라고 했다. 응? 그때는 2016년 2월이었다. 막달이다. 블링블링 인형 같은 별님의 첫째는 3학년, 무거운 몸을 이끌고 학교에 오신 까닭이 꿈의 학교[9] 심사 때문이라고 한다. 별님은 경기도 교육청에서 제안하는 '학교 밖 꿈의 학교'란 말 대신, 꿈은 학교 안에 있다고 믿었다. 그래 꿈의 학교가 열리는 곳은 학교여야 한다는 생각으로 '학교 안 꿈의 학교 꿈바라기 학교' 계획서를 경기도 교육청에 제출했다. 별님의 굳은 의지와 열정을 교장선생님이 높이 보셔서 학교 문을 열어 얼마든지 시작해보라고 하셨다. 하지만 모두들 우려했다. 여름방학부터 매주 토요일 오전에 한다고 하지만, 그 전에 준비할 일도 많은데 아기 낳은 지 얼마 되지 않은 몸으로 준비를 하고, 돌도 되지 않은 아이를 베이비시터에게 맡기고 꿈의 학교를 시작한다고 하니 곁에서 보기가 매우 불안했다.

---

9) 경기도 교육청의 마을교육공동체 공모사업. 경기도 내 마을교육공동체 주체들이 학생의 꿈 실현을 위해 운영하는 학교 밖 교육활동이다. 꿈의 학교장을 자원하는 이가 사업 신청을 하면 심사를 거쳐 꿈의 학교를 설립할 수 있다. 사업신청대상은 교사, 학부모, 비영리법인 또는 단체, 개인, 지자체이다. 우리 학교에서 한 꿈바라기 학교의 사업비는 6천만 원이다.

일 벌려 별님과 인터뷰

대체 왜? 이 물음을 갖고, 별님을 만났다.(2016년 09월 24일 토요일) 학교 모둠학습실 별님 이야기를 정리해둔다.

"우리 아들은 지난해에 전학을 왔어요. 전 학교에서 아들이 입학하고 학부모총회에 갔는데, 학부모회장을 뽑는다고 했어요. 회장을 안 뽑으면 집에 못 간다기에 멋모르고 학부모회장을 했죠. 예산을 따와서 그때부터 학교 일을 시작했어요.

그런데 집과 학교가 거리가 있어 아이가 불안해했어요. 집에서 가까운 우리 학교로 전학을 왔지요. 혁신학교라고 해서 보냈어요. 아이를 돌봄교실에 맡겼는데, 마주치는 아이들이 전학 온 아이를 보면 돈 많으냐, 부자냐 물어서 당황했고, 무엇보다 욕설을 하는 아이들을 많이 만났어요. 그때 아이를 키우기 위해서는 내 아이만 잘 키워서는 안 되겠구나 하는 마음이 들었어요. 아이가 어릴 때 저는 제 경력을 만드느라 바빴죠. 동생을 임신하고 집에 있게 되었는데, 함께 하는 시간동안 아이한테 안정감을 주고 싶었어요. 아들과 놀이터에 나가기 시작했어요. 처음에는 아이들이 없었는데, 한두 명 같이 놀 수 있는 아이들이 생겼어요. 날마다 놀이터에 나갔거든요. 어느 정도 아이들이 모여서 일주일에 한 번 시간을 정해서 놀이터에서 아이들과 놀았어요. 부모님에게 허락을 구하고 전래놀이도 가르쳐주고, 물총놀이도 했지요. 하루는 밤늦게까지 노는 날을 정해서 함께 놀았어요. 그리고 이전 학교에서 일한 경험, 직장에서 일한 경험이 있어 학교를 돕고 싶어서 제가 학교에 먼저 전화를 했어요. 학부모회 일을 하며 필요한 예산을 따왔는데, 아무래도 직장 일을 한 경험이 있다 보니 서류를 넣는 일에 두려움이 없었죠. 작년 예산 300만원으로 학부모회 일을 했지만, 우리 학교 학부모회 조직이 잘 서 있지 않아 아쉬운 마음이 들었어요. 그래도 할 수 있는 일을 했는데, 그때 한 것이 바로 놀이맘 동아리였어요.

(네, 알아요. 중간 놀이 시간에 아이들 데리고 놀아주셨지요.)

어머니들을 모아서 중간놀이 시간에 저학년 아이들 한 반씩 같이 놀았어요. 제가 시후 친구들이랑 일주일에 한 번 놀았던 것처럼 이요. 어머니들이 더 많이 모이셨으면 고학년 아이들도 같이 놀 수 있을 텐데 그러지 못했어요. 헤어질 때 아이들이 "우리 또 언제 놀아요?" 하며 아쉬워하는 눈빛이 떠오르네요.

올해 둘째를 낳고 꿈의 학교도 하게 되어 학부모회와 직장 일은 할 수 없지만, 그동안 쌓은 경력이 있어 당분간 두 아이를 키우며 학교와 마을에 힘을 쏟을 수 있는 여유가 있습니다.

(아무리 여유가 있다고 해도, 어린 아기를 돌보면서 꿈의 학교를 진행할 수 있을까요?)

제 별명은 일벌려, 여동생은 그렇게 부릅니다. 남편은 우리 애들만 잘 키우면 된다고 생각하여 제가 학교 일을 하는 것에 불만이 많아요. 가정의 문제는 제가 해결해야 할 숙제라고 생각합니다. 학교의 철학, 삶을 중심에 두고 각자가 속한 삶의 자리에서 꿈을 찾아가는 것을 지지해요.

(우리 학교 교육 목표에서 꿈 너머 꿈 이야기를 해요. 직업 교육이 아니라 삶의 태도를 가르치려고 하지요. 그것이 더욱 중요하고요.)

지금 알았네요. 부모의 처지에서 보면 우리 학교 철학이 명확하지 않다고 느끼거든요. 꿈바라기 학교는 아이들이 직업으로서의 꿈이 아니라 사람됨, 내가 어떤 사람인지, 내가 좋은 사람이라는 생각을 갖는 일을 중요한 가치로 봐요. 이것이 초등학교에서는 중요하다고 생각해요. 저는 이 일로 교육기부해서 학교를 돕고 싶은 마음도 많습니다. 저학년부터 나를 아는 프로그램 개발을 돕고 싶어요."

우려를 씻고 책임을 다하다

여름이 지나고, 꿈바라기 학교를 마무리 하는 내내 별님은 꿈의 학교 교장으로서 끝까지 책임을 다했다. 꿈지기[10] 선생님들을 세우고, 프로그램을 구상해서 강사와 자원봉사자를 섭외하고, 온라인으로 우리 학교 아이들뿐만 아니라 안양 내 초등학교 아이들 40명을

---

10) 꿈지기는 모둠에 배치한 담당 선생님이라고 생각하면 된다. 4명의 아이들에게 꿈지기 선생님이 있다. 꿈지기는 가르치려 하지 않고 아이들이 스스로 할 수 있도록 이끌며 아이들이 어느 순간에 배움이 일어나는지 관찰하고 기록하는 사람이다.

모집했다. 프로젝트를 하는 토요일마다 선생님 점심 배달하고 부모 면담하며 전체 프로젝트를 진행했다. 어린 둘째는 아빠나 베이비시터와 함께했다.

꿈바라기 학생들은 입학하기 전부터 모여 함께 부를 교가를 만들고 입학식을 스스로 준비했다. 프로젝트 수업에 참여하면서 자신의 강점을 찾고, 하고 싶은 일을 계획하며, 놀이터 전문가를 만나고, 놀고 싶은 놀이터를 디자인했다. 건축학과 대학생들과 구상한 놀이터를 학교 운동장에 몸소 만들기도 했다. 조리학과 형, 누나들과 만나 고추장을 만들고, 수업한 내용을 담아 만든 장신구를 장터를 열어 팔기도 했다. 아이들과 부모들 모두 만족하는 프로젝트 수업이었다.[11] 모든 우려를 씻고 끝까지 해냈다. 하지만 그게 끝이 아니었다.

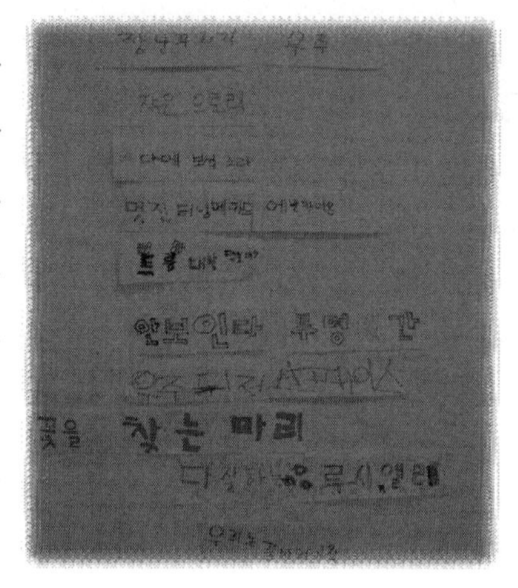

아이들이 함께 만든 꿈의 학교 교가

겨울방학, 그새 많이 자란 둘째 아이와 별님을 만났다. 근황을 나누는 자리에서 사업비 정산을 하면서 혹독한 시간을 보내 힘든 마음을 쏟아놓았다. 증빙자료만 종이 한 박스를 만들었다고 한다. 하

---

11) 별님은 교직원 회의에 오셔서 꿈바라기 학교의 교육내용을 공유해주었다.

긴 사업이 좀 컸다. 6천만 원. 직장 일을 했다지만 교육청 돈 정산은 처음이겠지. 그 많은 일을 마무리하는 일도 어려운데 남편까지 불편해 했다니 무척 안쓰러웠다. 하지만 시후가 "나는 우리 엄마가 꿈의 학교 교장선생님인 것이 자랑스러워."하는 말을 들어 뿌듯하기도 했다고. 다음 해에 다시 꿈의 학교를 도전하려고 했지만, 장학사님이 제안하는 기준을 맞추기가 어려워서 포기했다고 한다. 꿈바라기 학교 프로그램이 좋다는 평이 많아 타 학교 부모들이 우리 학교에서도 열어달라는 요구를 듣고 1호점, 2호점, 3호점처럼 운영할 계획이었다. 교장은 별님이 할 계획이었지만 장학사님은 각 학교마다 교장을 세워야 한다고 하셨다고. 꿈지기를 한 어머니들께 의논을 해보았지만, 총책임을 지는 일에 난색을 표하셨다고 한다. 그렇지. 별님 같은 분이 없다. 아마 또 없을 것이다. 정말 큰일을 해내시고, 난관에도 여러 번 부딪치는데 이번에는 학부모회장에 출마를 하겠다는 의지를 보이시니 그 열정은 어디서 오는 걸까? 또 생각한다. 이 분의 가슴을 뛰게 한 말, "한 아이를 키우기 위해서는 온 마을이 필요하다" 이 말 때문일까? 내 아이만 잘 키워서는 안 된다는 현실적인 필요 때문일까? 온통 물음표가 내 머리 위에 뜬다. 은지 선생님은 별님을 보면 이렇게 격려한다. "시후가 별님이 하는 일을 다 보고 있어요. 그걸 보고 자라는 아이는 안 풀릴 수가 없지요." 별님과 별님 가정에 복을 빈다.

철학하는 아버지, 솜사탕

학교의 철학을 묻다

첫째가 입학(2016학년도)하면 부모 둘 중 한 명은 휴직을 하자고 한 가정이 있었다. 보통 어머니가 휴직을 하는데 이 가정은 아버지가 휴직을 했다. 이 아버지가 솜사탕님이다. 이 아버지께서도 앞에 소개한 두 분처럼 뭔가 뜻깊은 일을 꿈꾸며 운영위원장에 자원했다. 교장선생님께서 4월 첫 운영위원회 마치고 위원장님, 부위원장님과 이야기하고 계셨다. 교장선생님께서 마침 그 곁을 지나가다 인사하는 나를 불러 세워, "이 부장님을 만나 우리 학교 이야기를 들어봐라."고 하신 일은 지금 떠올려도 의아하다. 며칠 뒤 우리 교실에서 처음 얼굴을 마주하고 앉자 솜사탕님은 물었다.

"우리 학교 철학이 무엇입니까?"

도전적이다. 싸우자는 걸까? 표정을 봐서는 그런 것 같지는 않다. 학교 철학이 뭐였지? 가장 먼저 회복적 생활교육[12]이 떠오르고, 꿈

---

12) 회복적 생활교육은 통제보다는 존중, 자발적 책임, 협력을 목표로 하고, 관계성을 키우며 평화로운 공동체를 만들어 가는 생활교육 방식이다. 서클은 둥글게 둘러앉아 구성원이 동일한 힘을 갖고 의사소통하는 방식이다.

너머 꿈 그런 얘기도 있었지. 없는 게 아니다. 우리 학교에서는 선생님들이 아이들을 대할 때, 일하고 회의할 때 흐르는 문화가 있다. 그걸 설명했다.

"학교 홍보지를 보았는데, 활동 위주로 나열만 되어 있는 것 같아요. 그 활동들은 어떤 철학에서 하는 건지, 방과후 특기적성 프로그램도 어떤 기준이 있어서 선정하는 건지. 학교는 그래야 한다고 생각하는데, 아이를 입학시키고 지켜보니 그런 철학이 있는지 잘 모르겠더라고요."

"제가 좀 당황스럽기는 하지만, 좀 듣고 싶네요. 위원장님은 어떤 생각을 갖고 계신지 좀 말씀해 주시겠어요?"

혁신부장님하고 같이 만나야 했나? 생각을 하는데, 만났다고 해도 크게 다르지 않음을 직감했다. 그는 문서에 나온 학교 철학이 궁금한 게 아니다. 이럴 때는 들어야 한다. 철학에 대한 질문을 던지는 분은 분명 자신이 생각하는 철학이 있을 테니까. 흥미가 생겼다.

아이들은 마음껏 놀아야 해요

"제가 그동안 아이를 키우며 본 여러 책들이 있는데, 우리 학교 학부모들과도 공유하고 싶은 철학이 있어요. 저는 편해문 님의 생각에 아주 공감합니다. 학교의 철학이나 선생님들이 학교에서 가르치시는 일을 신뢰합니다. 학교의 철학이 좀 더 선명했으면 좋겠지만요. 제가 휴직한 까닭은 아이의 방과 후 시간에 대한 고민을 교사와 부모가 함께 하고 새로운 흐름을 만들고 싶어서예요. 아이들이 어릴 때 신나게 놀았으면 합니다. 지식교육에 사로잡혀서 학원으로 끌려가지 않고, 학교 마치고 나면 두 시간 정도는 충분히 놀 수 있는 문화가 우리 학교에 생겼으면 좋겠어요. 전래놀이도 다 그 안에 놀이의 철학이 있는데, 요즘은 그 바탕에 있는 생각들을 무시하는 경우가 너무 많습니다. 아이들의 놀이터는 아이들이 마음껏 노는데 장애물이 없는 곳이어야 해요. 순천에 있는 기적의 놀이터 들어 보셨나요? 그리고 아이들이 학교에서 곧장 학교 앞 놀이터로 갈 수 있는 육교를 놓거나, 놀이터로 바로 가는 길을 꾸미는 것, 크게는 그런 바람도 갖고 있습니다. 저는 이런 생각을 부모들과 공유하고 싶습니다. 철학을 공유하는 일은 무조건 모여서 이야기를 한다고 되는 일은 아니고, 뭔가 의미 있는 이야기를 하는 분의 이야기를 듣고 난 후에 관심 있는 분들끼리 독서모임을 하면서 생각을 키워가는 것이 필요하다고 생각합니다."

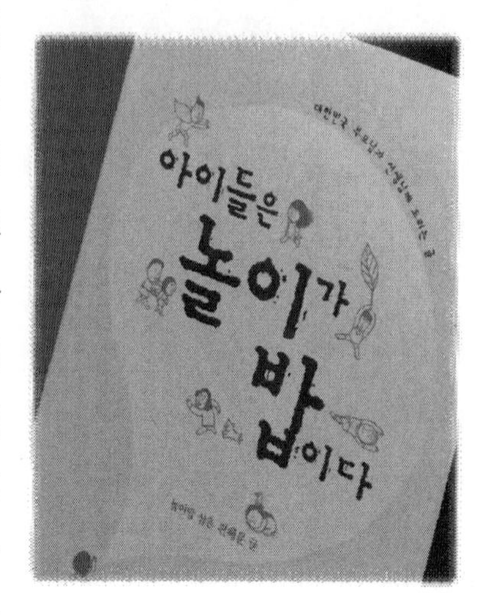

"위원장님의 이야기를 들으니, 제가 아직 편해문 님 책을 읽지

않았지만 발도로프 학교(인지학)에서 말하는 아동발달단계와도 멀지 않은 이야기네요. 저 역시 두 아이를 그런 방향으로 키웠고, 저학년을 맡았을 때도 그런 마음가짐으로 어머니들과 상담을 했습니다. 인지학에서는 젖니가 빠지기 시작할 때 문자 교육을 시작하라고 해요. 초등학교 1, 2학년이 딱 그때지요. 아직 배울 준비를 하지 않은 아이들한테 일찍부터 많은 학습을 시키는 우리나라 유아교육시장은 비판받아 마땅해요. 아이들은 제대로 놀아야지요."

나의 생각을 전하니 반기는 얼굴이다. 전래놀이에 대해 이야기하니 부위원장님도 이런 저런 생각을 말씀하셨다. 앞으로 생각을 나누면서 학부모회와 의논하여 어떻게 연수를 진행할지도 의논해보자며 이야기를 마무리했다.

철학하는 아버지 솜사탕님과의 첫 만남을 이렇게 시작했다. 이야기를 듣고, 편해문 님의 책 '아이들은 놀이가 밥이다'를 읽었다. 스스로 아동놀이전문가가 된 편해문 님은 부모와 교사가 아이들이 삶터와 놀이터를 잘 가꾸도록 도와주어야 하는데, 앞날에 대한 불안 때문에 어른들이 일찍부터 아이들의 놀이를 빼앗은 일을 무척 안타까워하며 글을 썼다. 날마다 아이들에게 한가로운 시간을 주고, 동무와 마음껏 뛰놀 수 있는 일이 마을에서 당연해진다면 어떨까? 더 나아가 우리 아이들의 놀이터 환경도 달라지면 얼마나 좋을까? 다른 학교 아이들에 비해 비교적 많이 뛰어노는 편인 우리 아이들과 그것을 허락하는(혹은 일하느라 그럴 수밖에 없는) 부모님들의 마음을 모으면 뭔가 재미난 일이 이 마을에 벌어지지 않을까? 기대감이 들었다.

이후 학부모회와 의논해서 편해문 님을 섭외하여 학부모 연수를 열었다. 타 지역 학부모님들의 관심까지 받으며 70여 분의 학부모님들이 와서 강의를 들었다. 솜사탕님은 계획한 대로 어머니 다섯 분과 독서모임을 시작했고, 2017년에는 별님과 함께 놀맘동아리를 시작했다. 대체 이 마을이 어떻게 되려고 이렇게 특별한 분들을 만났을까?

기적의 운동장과 놀맘 이야기

솜사탕님과는 생각이 비슷해서 전담시간이나 방과 후에 시간 나면 이런 저런 이야기를 나누었다. 때로는 집으로 초대하셨는데, 은지선생님, 혁신부장님과 함께 교감 선생님께 동네에 마실 다녀오겠다고 말씀드리고(교감선생님은 출장을 내주셨다.) 솜사탕님 댁에 가서 기승전 놀이터 이야기를 나눴다. 알아갈수록 놀 생각만 가득한 솜사탕님이다. 아이들이 잘 노는 동네를 꿈꾼 그의 놀이터 변천사를 정리해 두겠다.

학교와 놀이터를 잇는 구름다리

학교에서 충분히 공부했으니 아이들이 집으로 돌아가는 길은 놀러 가는 길이어야 한다는 솜사탕님은 학교 운동장과 정문 맞은편 황금놀이터를 잇는 구름다리를 제안했다. 구름다리를 오를 때는 줄을 잡거나 기어가고, 내려올 때는 미끄럼 탄다. 학교 끝나면 학원차 타고 다시 공부하러 가지 않고 놀이 시간 알리는 종소리 듣고 놀러 나간다. 솜사탕님은 위원장의 자격으로 안양시장과 만난 자리에서 이런 생각을 제안했다. 와, 재밌겠다. 하지만 학교는 학교를 상시로 열어 놓아야 하고, 다리를 오르락내리락하면 생기는 안전 문제를 걱정했다.

놀맘 아카데미와 놀맘 특기적성

구름다리가 힘들다면 마음껏 노는 방과 후 학교는 어떨까? 방과 후 지도 교사인 놀이 페다고지는 아이들이 안전하게 노는지 지켜보고 아이들이 스스로 놀도록 하며, 도움이 필요할 때만 놀이를 알려준다. 이런 놀이 철학을 지닌 지도 강사를 키우는 놀맘 아카데미를 이야기 했다. 여기서 놀맘은 놀이 밥 지어주는 엄마를 줄인 말이다. 언제나 놀고 싶은 마음을 뜻하는 말이기도 하다. 놀맘 아카데미에서는 아이들과 할 수 있는 다양한 놀이를 배우기도 하지만, 앞날에 대한 두려움으로 현재라는 선물을 누리지 못하는 부모의 태도를 성찰하고 지금 여기에서 아이의 눈빛을 보는 일을 시작하도록 돕는다. 이런 철학을 공유한 놀이 페다고지가 학교 방과 후 학교에 놀맘 교실을 열고, 학교를 마친 아이들이 마음껏 노는 일을 제안했다.

얘기를 듣고 나는 내 자녀가 다니는 초등학교에는 전래놀이부서가 방과 후 학교에 있고, 어머니 두 분이 특기적성 강사로 일하는 사례를 알려드렸다. 놀이를 배운 아이들이 다놀이 시간(30분 쉬는 시간)에 어머니들께 배운 전래놀이, 특히 고무줄을 하느라 양말 빨래하기가 힘들었던 경험도 말했다. 그 학교에서 어떻게 운영하는지 알아보겠다고 했다. 학년말 특기적성 관련 설문 조사로 수요를 알아보고, 방과 후 강사의 자격은 어떤 것이 필요한지 알아보기로 했다. 주고받는 이야기 가운데 이야기는 좀 더 현실감을 갖게 된다.

이 일에 교장선생님께서도 큰 관심을 갖고 진행을 해보라고 하셨다. 꿈의 학교를 운영한 별님, 솜사탕님과 제안서를 준비하기로 했다. 죽은 공간인 1층 홍보관을 개조해서 아카데미도 열고 학부모 모임도 할 수 있는 공간으로 꾸미면 어떨지 교장선생님께 말씀드렸더니 굉장히 반기셨다. 그때 마침 경기도 따복공동체지원센터에 사업 공고가 났다. 사업의 취지와 이 일이 잘 맞아 별님이 전화로 따복에 제안했다. 따복 실무자님들도 굉장히 신선하고 좋은 아이디어라고 했고, 학교에서 공간을 열어주는 일이 쉽지 않은데 놀랐다며 환영하셨다. 하지만 아쉽게도 관리자분들께 구두로 진행 상황을 말씀드릴 때와는 다르게 문서로 보여드리니 분위기가 완전히 달라지고 말았다. 1층 홍보실을 개조하여 '주민들도' 이용할 수 있는 공간을 만든다는 것에 크게 놀라신 듯하다. 교장선생님도 행정실장님도 이 학교에 천년만년 있을 것이 아닌데 그 시설에 대한 책임을 누가 질 것인지 염려가 크셨다. 결국 완성한 제안서는 내지 못했다. 이 일을 준비하신 두 분은 교장선생님과 조금 서먹해졌다. 안타까웠다.

두 분의 실망스러움도 이해하지만 한편으로 교장선생님의 마음도 이해한다. 시대의 흐름이 그렇다면서 마을 사업이 학교로 들어온다. 학교의 문을 열라고, 이제 소통은 선택이 아니라 필수라고 정책으로 밀고 들어온다. 하지만 일이 잘 되면 당연한 것이고, 잘못되면 그 책임은 학교가 떠안는 현실에 대해서는 침묵한다. 새로운 사업을 진행하면 교사들이 아이들을 가르치는 일 외에, 행정실이 아이들의 교육활동을 지원하는 것 외에 추가로 일을 해야 하는 부담에 대해서도 침묵한다. 방과 후 교실과 돌봄 사업을 처음 시작할 때도 어느 날 갑자기 밀고 들어왔다. 방과 후 코디가 없는 학교에서 방과 후 업무를 맡은 친구가 그랬다. "내가 애들을 가르치는 교사인지, 동사무소 직원인지 헷갈려. 정산할 때면 머리털 다 빠진다. 감사에 걸리기라도 하면 그 책임은 고스란히 담당교사가 져.[13]" 그저 예산만 내려주기보다 장기적으로 보고 필요하면 지자체가 나서거나 주민들이 어떤 일을 스스로 할 공간을 주면 된다. 그 일을 지원할 사람도 뽑고. 학교에 공간 많으니 만들고 관리하라고, 그나마 학교가 투명하니 학교가 하라고 말하기에는 학교가 져야 할 책임이 너무 무겁다.

(2017년 2학기, 교장선생님은 방과 후 놀이부 개설보다는 학교 교육과정으로 들어와 체육시간에 재능기부로 해주면 어떠냐고 제안하셨다. 학생과 함께 쓰는 학부모 자치실에서 아카데미를 열어 놀이 페다고지를 양성하는 일을 학부모회에서 추진 중이다.)

해보자, 기적의 운동장?

교장선생님께서 놀맘 아카데미와 방과 후 활동에 대해 "그래요. 한 번 해봐요. 참 좋네요." 하고 말씀하시던 11월. 놀이터의 영(靈)은 다시 솜사탕님의 마음에 또 다른 길을 보이셨다.

기적의 운동장!

나, 은지선생님, 혁신부장님이 회의실로 호출 받았다. 교장선생님 곁에 솜사탕님이 있다. 얼마 전 경기도의원과 간담회가 있었는데,

13) 이 글을 꼼꼼히 보고 의견을 준 절친 홍은미 선생님의 이야기다. 누구보다 방과 후 업무를 충실히 해온 선생님이기 때문에 지역사회에서 할 일을 승진 점수나 책임감을 내세워 교사들에게 추가로 맡기는 일의 피해를 누구보다 잘 알고 있다.

그때 솜사탕님이 위원장으로 그 자리에 가서 아이들에게 빼앗긴 놀이를 돌려줘야 한다는 이야기와 학교 운동장을 바꾸는 일에 대해 제안하고 들은 이야기를 전해 주었다. 편해문 님은 순천에 기적의 놀이터를 만들었다. 이 놀이터에는 정글짐, 구름사다리, 철봉, 그네가 있는 놀이터가 아니라 구릉, 땅굴이 있고 모래놀이와 물놀이를 할 수 있는 아슬아슬한 놀이터이다. 솜사탕님은 기적의 놀이터를 학교 운동장에 만들면 어떨지 제안하셨다. 도의원은 그 이야기에 굉장한 관심을 보이며 "예산을 내려 주겠다. 해 보자, 경기도에 그런 학교 운동장이 있어도 좋겠지."라고 했단다. 그 일을 진행하려면 기획할 사람들이 있어야 하니 선생님들과 함께 하고 싶다고 한다. 교장선생님도 "이 일이 완성될 때까지 여러 어려움이 있겠지만, 완성하기만 하면 선생님들께서 보람을 느끼게 될 거예요. 함께 해봅시다."라고 말씀하셨다. 선생님들은 이제 교과서에 나오는 놀이터가 아니라 우리만의 놀이터가 생기는 거냐며 낯설면서도 즐거워했고, 순천에 견학을 가야 하지 않겠냐며 순천은 은지 선생님 고향이니 순천 여행이라도 가야 하지 않느냐며 웃었다.

학교 앞 황금놀이터

우리 학교 놀이터

하지만 얼마 지나지 않아 도, 교육청, 학교가 이 문제를 현실로 푸는 데 또 갈등이 있었다. 내가 전해들은 말은 교육청은 한 학교에만 특정한 예산을 줄 수 없다. 석면 공사로도 안양시 내의 학교에 많은 돈이 들어갈 텐데 우리 학교에 놀이터를 만드는 일로 지원을 하면 인근의 학교들이 가만히 있지 않을 거라고 했다. 행정실은 이 일이 불가능하다고 이야기했고, 교장선생님은 순천 놀이터가 학교 운동장을 말한 것이 아니냐, 그렇다면 이게 전국에 처음 있는 일이냐, 선례가 없는 일이라면 법적인 문제는 없느냐 물음을 던지셨다. 남들이 가지 않은 길을 가는 일은 쉽지 않다. 아카데미를 할 공간 만들기가 엎어지고 며칠 지나지 않아 이 일도 엎어졌다.

그해 겨울 방학, 솜사탕님 댁에서 별님과 은지선생님과 만났다. 교장선생님께서도 마음이 쓰이셨던지 두 분을 만나면 그럴 수밖에 없는 학교의 처지를 이야기해 달라고 하셨다.

사고나 민원 없이 한 해, 한 해를 보내는 일이 학교에서는 무척 중요하다. 학교에서 자주 듣는 말이 있다. '아무리 좋은 뜻으로 한다 해도 사고(민원) 나면 끝이야.' 이 명제가 깨지는 날이 올까? 독일 여행을 다녀오신 선배 선생님이 말씀해주셨다. "독일에 재미난 놀이터가 많이 있지. 우리나라 놀이터, 바뀌어야 해. 하지만 지금으로는 어림없어. 독일에서는 놀이터에서 아이가 다쳤다 하면, 아이와 부모가 책임을 지는 일이 당연해. 하지만 우리나라 학교 운동장에서 아이가 다치면 일어날 일이 뻔히 보이지 않아?" 일이 생기면 일어난 피해를 회복하는 일보다는 책임자를 찾아 처벌하는 일이 먼저

다. 안타까운 현실이다.

꿈의 학교 정산으로 지친 별님과 두 가지 일이 얹어지며 나동그라진 솜사탕님을 마주하니 마음이 어려웠다. 다시 다가오는 2017년을 이야기하기까지 시간이 조금 걸렸다. 우선 마을에 생긴 마을 주민들의 모임과 마을 축제에 대한 이야기를 좀 한 뒤에, 회복탄력성이 좋은 두 분의 이야기를 이어가겠다.

따뜻한 관양마을 네트워크의 시작

마을의 필요를 보다, 노래하다

따뜻한 관양마을 네트워크

문 두드리는 파랑새, 꿈꾸는 별, 철학하는 솜사탕이 만나면 어떤 일이 벌어질까? 이 분들이 만났다, 동네에서. 하지만 이 이야기를 시작할 때, 당서기님 이야기부터 해야 한다. 당서기님은 네 아이의 아빠이며 중등 사회선생님이다. 이 마을에 오래 살았고, 이 마을에서 네 아이를 다 키우겠다고 마음먹었기 때문에 마을 일에 깊은 관심을 갖고 있다. 당서기님은 은지선생님과 함께 좋은교사운동을 통해 핀란드와 덴마크의 교육을 탐방할 때 청소년 센터가 가장 인상에 남았다고 한다. 우리나라에 와서는 서울 노원구에 있는 공릉동청소년문화센터를 보고 또 다시 놀랐다고. 부러운 마음은 마을에서 살면서 동네를 돌아다니다 피시방에 가는 청소년들을 향한 안타까움으로 번졌고, 안타까움은 관양동에도 청소년들을 위한 공간이 있으면 하는 소망이 된다. 관양동이 더 이상 소외되지 않길 바라는 그 소망을 노래하던 중에 학교와 교회를 통해 마음을 같이 할 사람들을 만났다.

앞서 말한 분들 외에도 뽀드득, 종달새, 산들바람, 소시, 무지개님도 만났다. 전 교장선생님, 나, 은지선생님, 혁신부장님과 이지영 선생님도 마음을 보태었다. 각자의 자리에서 아이들을 잘 기를 수 있는 마을이 되기를 노래하는 분들이 2017년 1월 말 어느 주말 저녁부터 그해 10월 따마네란 이름으로 발족식을 하기까지 한 분 한 분과 이어지며 정기적인 모임을 가졌다. 이 분들이 만날 때 내가 작게나마 다리를 놓은 일은 지금 생각해도 뿌듯하다. 어차피 만날 인연이겠지만 말이다. 처음에는 마을의 문제를 정치적으로 풀어가야 하나 싶어 도의원을 만나려 했지만 (그 일은 잘 풀릴 듯 했는데, 잘 되지 않았다. 들어보니 놀이터 일이랑 좀 비슷하다.), 대체로 함께 모여 시 읽고 삶 나누며 꿈을 말하고 먹고 마시면서 '동네 부모 되는 마음'을 공유했다. 누구 한 사람이 이끌기보다 힘을 나누어 함께 갈 길을 찾아가려 했다. 모임을 당서기님이 이끌었는데, 교사모임인 기윤실에서 은지선생님에게 배운 신뢰서클(회복적 생활교육) 방식으로 공동체를 세워갔다.

서툰 충동에 이끌리고 수습하기

나는 마을에서 일어나는 일들이 참 좋았다. 따마네가 학교에서 모일 때도 있었는데, 교사들은 중간놀이 시간에 잠시라도 내려가 시간을 보내려고 했다. 그날도 내려가 앉았더니 발족식 이야기 중이시다. 학교 아래 수변공원에서 발족식과 마을 축제를 하면 어떨까 하는 의견이었다. 말씀 듣다 보니 학년 초에 마을축제 예산 받은 공모비(200만원)가 생각났다. 1학기에 '마을로 가는 작은 소풍'

을 기획해서 진행했는데, 남은 예산을 이분들과 함께 하는 것이 공모사업의 취지에 맞겠다고 생각이 들었다. 남아 있는 예산이 얼마더라? 생각하고 바로 뱉었다. "마을 축제 예산이 학교에 있어요. 70만 원 정도 지원할 수 있겠는데요?"(곧 후회했다. 아, 교장선생님과 의논해야 하는 건가?)

교장선생님께 그날의 회의에 대해 말씀드리면서

"...이런 취지로 발족식을 한다고 하니 마을축제 예산으로 후원을 하면 어떨까요? (이미 쓸 수 있다고 했지만요.) 이날 무대 공연을 하는데, 무대에 서고 싶은 아이들이 무대에 서면 좋을 것 같고요. 따마네에 피아노학원 하시는 분이 있는데, 아이들 리코더를 지도해 주시겠다고 했어요."

다행히 교장선생님은 흔쾌히 허락하셨고, 학교에 합창단이 생긴 지 얼마 안 되었으니 합창 선생님께 안내해서 그날 설 수 있는지 알아보라고 하셨다. 학교 예산도 들어가고 아이들도 참여하니 후원이 아니라 주관으로 해야 하지 않느냐 하는 말씀도 하셨다. 하지만 학원관계자가 학교에서 아이들을 지도하는 것은 조금 곤란하다고 교감선생님이 말씀하셨다. 다른 학원들이 견제해서 민원의 소지가 있다고 하셨다. 좋은 뜻으로 하는 일이니 서운하지 않게 잘 이야기를 전해 달라고 하셨다. 그 뒤로 따마네와 회의할 때마다, 교감, 교장 선생님께 진행상황을 말씀드렸다.

몇 주가 지나 축제 물품을 사는 일로 행정실에서 이 일에 대해 듣고 교감선생님께 축제에 대한 계획서가 어디 있느냐 물었다고 한다. 교장실로 불려가서 들었다.

아, 공모비를 받으면 공모 계획대로 해야 하는 거구나.
변경하려면 장학사님께 여쭤 봐야 하는구나.
계획한 항목에 맞지 않게 쓰면 경위서를 쓸 수도 있구나.
책임은 담당자가 지는구나.
그래도 구두로 말씀드릴 때는 별 말 없으시더니, 아힝 정말~

조심스럽게 타이르듯 말씀하시는 두 분께
"일의 절차를 잘 몰라 제가 실수했네요. 죄송하고, 알려주셔서 감사합니다. 하지만 그동안 구두로 말씀은 꼭 드렸는데 이렇게 되어 저도 좀 당황스럽습니다.(죄송하다면서 할 말은 또 다 한다. 들어주시는 분위기라 그렇다.) 장학사님께 전화해서 알아보고 계획서 올리겠습니다." 하고 교장실을 나왔다.

다행히 장학사님은 내용을 들으시고, 변경계획을 보내 주기만 하면 된다고 하셨다. 이미 따마네 안에서 프로그램 계획이 거의 나와서 계획서는 금방 정리해서 보냈다.

그 무렵 나는 뭣도 모르고 X프로젝트를 시작하고 연구비 반을 받았다. 어쩐지 연구비로 이 돈을 다 쓰면 안 된다는 내 생각과 이제 막 발족식을 하려는 따마네 분들의 물질의 필요가 딱 마주쳤다. 넉넉지 않은 중에 자비로 모임을 이끌어가는 따마네였기에 거금은 아니지만 연구비를 쾌척했다. 그것은 또 순간의 충동이기도 했다. 터놓고 말해 이 글을 쓰는 일이 쉽지 않아 나는 중도에 포기하고 싶을 때가 참 많았다. 받은 돈을 뱉어내려고 담당자인 조창완 선생님께 그만둔다고 말씀드리기도 했다. 쾌척의 충동을 후회하면서. 하지만 지금은 가 볼 때까지 가려고 이렇게 수습 중이다. 끝까지 가 보자, 아자!

초 대 합 니 다

{ }

따마네 페스티벌

따뜻한 관양마을 네트워크 발족식

■ 일시 : 2016년 10월 8일(토) 오후 3-5시 ■ 장소 : 안양관악초입구 수변공원

■ 주관 : 따마네 추진위원회 ■ 후원 : 쓰봉, 안양관악초등학교, 안양YMCA, 청소년성취문화원

따마네 소개

따뜻한 관양**마**을 **네**트워크의 줄임말입니다.
우리 마을이 보다 사람의 정이 넘치는 곳이 되었으면 좋겠다는 바람으로 모였습니다.
여러분들의 재능 참여를 통해 더 나은 마을을 만들어 가길 기대해봅니다~~

알리기 마당

- 지구를 살리는 "쓰봉" 의 " 에코장터"
- 안전한 통학로 "안양YMCA"
- 스카우트 "청소년성취문화원"
- 조부모 공동육아 "눈에 넣어도 품에 넣어도"
- 책가방만들기 "굿네이버스"
- 어린이 놀이 문화 "놀이가 밥이다! 독서모임"

체험 마당

- 커피점토 만들기
- 비즈팔찌 만들기
- 우유딱지 만들기
- 사랑의 담요뜨기(7x7)
- 페이스페인팅
- 커피 로스팅과 핸드드립

놀이 마당

- 우유딱지치기
- 비석치기
- 아빠와 제기차기
- 엄마와 고무줄놀이

담쟁이

저것은 벽
어쩔수 없는 벽이라고 우리가 느낄 때

그때
담쟁이는 말없이 그 벽을 오른다.

물 한 방울 없고,
씨앗 한 톨 살아남을 수 없는
저것은 절망의 벽이라고 말할 때
담쟁이는 서두르지 않고 앞으로 나간다.

한 뼘이라도
꼭 여럿이 함께 손을 잡고 올라간다.
푸르게 절망을 다 덮을 때까지
바로 그 잡고 놓지 않는다.

저것은 넘을 수 없는 벽이라고
고개를 떨구고 있을 때

담쟁이 잎 하나는
담쟁이 잎 수 천개를 이끌고

결국 그 벽을 넘는다.
< 도종환>

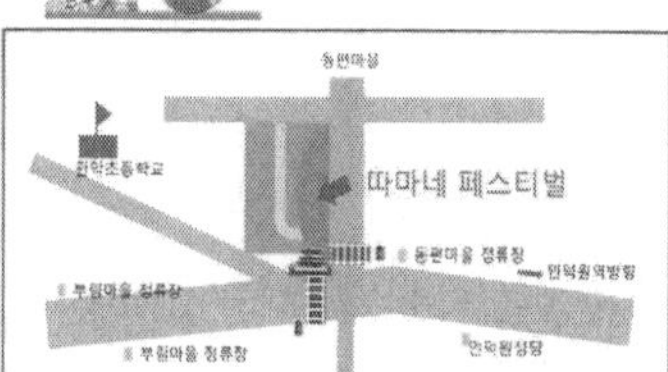

PM 4: 00 따마네 선포식

- 플레시몹(flash-mob) , 대박 터트리기
- { }를 채워주세요 (따마네 슬로건 만들기)
- 따마네 3행시 짓기 대회(1,2,3등 시상)
- 축하공연 : 민요 한마당, 어린이 합창, 합주, 댄스

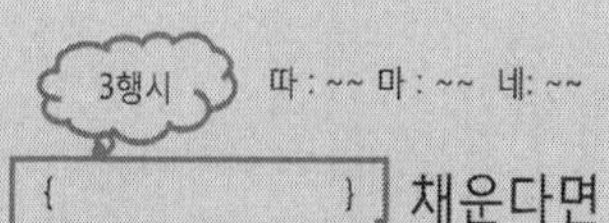

"행운권 추첨으로 선물도 드립니다"

따마네 축제 초대장

마을 축제, 따마네 페스티벌

돈, 그 이상의 기적

'축제' 하면 어마어마한 예산이 들 것 같다. 전 장에서 70만원, 50만원 또 여기저기 10만원, 20만원 후원금을 이야기하니 참 소박한 축제겠다 생각할지 모른다. 하지만 돈, 그 이상의 기적이 그날에 참 풍성했다.

파랑새님은 둘레에 있는 기관에서 음향시설, 무대, 테이블, 천막을 지원받아 오셨고 쓰봉 청년들에게 부스 운영을 맡겼다.

별님은 한 학기동안 함께 활동한 민요동아리 어머니들과 그날 자원봉사를 할 어머니들을 모으고 무대공연 사회를 맡았다.

솜사탕님은 축제행사 계획을 문서로 만들어 진행상황을 점검했다. 당일에는 천막, 음향장치, 무대를 몸소 설치하고, 전체 진행을 하면서 따마네 발족식 사회를 맡았다.

뽀드득님과 종달새님은 자원봉사자로 온 고등학생들과 천막과 텐트를 치고 민속놀이 프로그램을 진행하셨다. 고등학생들이 자원봉사를 매우 잘했다. 필요한 재료와 시장 상인회에서 후원받은 기념품을 준비하셨다.

산들바람과 소시님은 직접 볶아온 원두를 갈아 커피 부스를 운영하시고, 두 분이 다니는 교회 분들의 신청을 받아 벼룩시장을 여는 일을 도와주셨다. 벼룩시장은 학교 아이들도 함께 했다.

은지선생님과 지영선생님은 시간 날 때마다 학교에서 아이들 플래시몹 연습을 지도하였다. 당일에는 물품을 나르고 아이들 무대공연을 도왔다.

정희선생님과 이선선생님은 학교에서 남은 밥을 모아두었다가 친환경 밥 비누 부스를 열었다. 오전에는 생태부 아이들 체험, 오후에는 축제 부스를 운영했다.

학교에서 자원봉사 협조 요청을 받은 사진방송과 안양예술 고등학생들이 그날의 추억을 사진과 영상으로 남겼다.

무엇보다 이 날의 주인공은 부스와 무대를 오가며 즐기는 우리 학교 아이들이었다. 아이들을 보러 온 부모님들과 관리자 분들, 선생님들도 공간과 시간을 따뜻하고 풍성하게 채워주었다. 현수막 보고 단팥빵 주인아저씨가 그날 빵을 기증하기도 했다. 학교만 준비했다면 이렇게 못했으리라. 함께라서 좋다.

전날 비가 와서 걱정했는데, 오히려 살짝 구름 낀 날씨도 그날 한 몫을 든든하게 했다. 마치고 나서 고생한 분들과 학교 예산으로 저녁 식사를 나눴다. 이 하루를 마친 나의 짧은 일기를 아래 옮긴다.

따마네 축제가 끝났다. 관양 마을 주민 아홉 명, 교사 다섯 명과 함께한 아름다운 첫 잔치를 감사히 끝냈다. 서로를 향한 격려와 고마움을 전하며 다음을 향해 나아갈 기운을 얻었다. 우리 학교 아이들 정말 사랑스럽다. 축제 준비하면서 많이 바빴고, 그제는 말다툼하고 어제는 울었는데 오늘은 그저 감사하다. 서운한 마음 내려놓고 먼저 다가가 주민께 인사했다. 나의 웃음은 왜 이리 헤픈가. 마주 보고 함께 웃었다. 늦게 들어와 (둘째)온이 재우고 이제 눕는다.

2016.10.8.(토)

마을 축제 돌아보기

따마네 분들은 16차 회의에서 축제를 마친 뒤 성찰한 내용을 카톡방에 공유했다. 그 내용을 살피며 든 생각은 아래와 같다.

-따마네의 발족식은 소박하기 하려고 했는데, 중간에 일이 커졌다는 의견. 학교가 함께 하면서 그렇게 된 건 아닐까? 그래 내가 감당할 일이 늘어나면서 중간에 서로 어려움이 있었다.('웬만하면 선생님을 힘들게 하지 맙시다' 하고 모두들 애써 주었음에도)

수변공원 따마네 축제

-안양 관악초 학생들뿐 아니라 가까운 중고등학교 아이들도 함께 하는 축제가 되었으면 한다는 의견이 보인다. 당일은 따마네의 발족식인데 학교가 더 앞선 것 같아 좀 미안한 마음이 들었다. 참석한 학부모님들이 학교 칭찬을 많이 해주어서 좋았지만.

-축제 뒷정리를 하는 과정에서 따마네 회원들 간에 갈등이 좀 있었나 보다. 공연히 학교가 함께 했나? 학교는 소식을 공유하면서 협력이 필요할 때만 참여하는 게 좋지 않았을까? 하는 생각도 들었다. 이런 생각이 드니 마음이 좀 복잡하다. 때마침 학교에 오신 파랑새님께 이런 심정을 전했더니,

"전문적인 사람들이 모여 평가할 때는 신랄하게 비판해도 되지만, 우리는 잘한 일을 먼저 보고 자축해야 해요. 이만하면 처음 치고 참 잘했지요. 이 이상 어떻게 더 잘해요? (웃음) 사람은 이기적이기 마련인데, 그나마 아이들이 있기 때문에 덜 이기적인 학교가 중심에 서야지요. 저는 안양 관악초가 빛났으면 좋겠어요. 그리고 정기적으로 하자는 말이 있는데, 제 경험으로는 당분간은 아무래도 힘들 것 같아요." 하고 말씀해 주셨다.

교사의 딜레마

"마을축제 사업에 대해 말씀드리고 싶습니다. 교사는 그 학교 둘레에 어떤 축제가 있는지, 어떤 기관과 협력해야하는지 아무 정보도 없습니다. 마을축제 사업공모가 내려오면 참 난감해요. 지난 해 마을축제 사업을 신청한 아홉 개의 학교에 200-300만원씩 사업비를 공평하게 나누어 주고 마을축제를 하면 마을교육공동체가 만들어지나요?"

지난 7월에 교육청 토론에서 한 선생님이 물음을 던졌다. 우리 마을은 학교와 마을이 소통하고 협력하며 축제를 치렀지만 동네마다 다 이렇지 않을 텐데 담당 선생님들의 어려움을 그날 토론회 분위기로 읽을 수 있었다. 마을 주민들과 협력할 수 있는 관양 마을학교 담당자인 나라고 쉬웠을까? 축제 이틀 전 오전에 내가 한 일을 쭉 적어봤다. 일기장에서 긁어왔다.

AM 8:00-9:10 수업 전

- 교통봉사 나오신 어머니들께 인사하며 대화
- 창고 앞에 말려둔 발족식 때 쓸 박 칼질해서 곰팡이 떼기
- 교실에 박 올려두고, 곰팡이 이어서 없애고, 현수막 연결하기
- 4학년 연구실, 아이들 무대 리허설 시간 협의
- 부스운영에 쓸 커피점토, 담당 직원과 통화 두 차례, 사이트 회원가입, 내일까지 배송받기로 함.
- 당서기님과 메시지, 전화, 입금. 성취문화원에서 받을 첨부 자료 계장님께 확인하고 메시지로 알리기
- 무대인사말 담당 선생님들께 받으려고 카톡, 메시지. (4군데)

AM 9:10-10:30 블록 수업

- 1,2교시 수업

AM 10:30-11:00 쉬는 시간

- 아이들 리코더 연습 가게 하고, 상담하고 싶다는 두 학생 점심 시간에 하자고 약속잡기
- 복도 끝 게시판에 아이들 그림 붙이는 일 시범 보이고 **와 ** 이에게 부탁, 박에 붙일 한지 찾으러 2,4학년실 가서 빌려오기
- 3과 부장님과 교육기부 수업 실습 계획 협의, 담당 어머니와 통화하여 5학년만 수업하는 것 확인, 다시 취소, 에잇!
- 5학년 2,3반 선생님들과 수업 시간 의논, 우리 반만 수업하는 것으로 확정. 담당 어머님 통화 안 되어 메시지 남김

- 아이들 도움 받아 박에 붙일 한지 펼쳐두고, 음악실로 보내기
- 한지 잘라서 몇 개 풀칠해서 박 바구니에 붙이기
- 교실 정돈, ** 어머니 상담 준비, 잔 씻고, 물 끓이기
- 40분정도 상담 후 박에 종이 붙이기, 치덕치덕!

PM 12:20-13:20 점심시간

- 밥 먹고 학생들 갈등 해결하고 게시판 꾸미기 확인.
- 치덕치덕! 아이들과 같이 치덕치덕!
- 영은선생님 재능기부 사진수업 화요일 어렵대서 월요일로 조정
- 최정희 선생님 밥 비누 강사료 원고료 의논 후 실무사님께 메시지
- 글루건, 물풀, 스테이플러 빌려오기(교실에 뭐가 없네)
- 체험부스에 쓸 페이스 페인팅물감 찾아놓기
- 축제 당일(토요일) 시간외수당 근무상황 올리라는 연락받고 같이 올릴 선생님들께 메시지

방과 후 그날 일기를 쓰며 내 기분은 썩 나쁘지 않았다.

'어머, 나 정말 일을 척척 잘하는구나! 쉴 틈도, 막힘도 없이 계속 움직이는데, 일이 막 되네!' 했으니까.

그날 나는 수업도 해야 하고, 상담도 해야 하고, 부장업무도 해야 하고, 축제 준비도 해야 했다. 축제 두 주 전은 비슷하게 바빴다. 그날은 유난히 더 바빴다. 그런 나를 기특하게 여기고 있었는데, 그

날 오후에 주민과 의견 차이가 생겨 전화로 말다툼을 하고야 말았다. 다들 축제를 준비하는 일에 경험이 없고 의견을 낸 사람이 그 일을 책임지는 상황이어서(회의 때 그냥 말하지 말걸.) 일 분배가 효율적으로 되지 않았다. 또 학교가 하면 더 손쉬운 일들이 많아서 하다 보니 일이 더 늘었다. 나중에 생각하니 주민 분이 하신 말씀은 그저 제안이었는데 나도 모르게 날카롭게 대했다. 속상해서 집에 가서 울었다. 늦게 퇴근해 우리 집 애들은 잘 챙기지도 못했고 그날따라 돌봄 교실에 있는 둘째를 보니 짠하기도 해서 더 서러웠다. 좋은 일에 마음과 시간을 들였지만, 단 하루를 위해 달려야 하는 게 좀 허무하다. 박 터뜨리기를 안 했다면 덜 힘들었을까? 암튼 업무 맡고, 아니 교직에 있으면서 처음으로 마을 축제를 준비해 본 나의 결론은 마을축제는 마을 주민에게! 이미 마을마다 축제도 많아서 우리가 축제를 열었던 수변공원만 해도 전날 동사무소에서 가을 축제를 했고, 그 다음 토요일에도 YMCA에서 하는 길 축제가 잡혀 있다. 파랑새님 말씀대로 그나마 덜 이기적인 곳이 학교이기 때문에 마을을 세우는 예산이 나오는지는 몰라도 마을 축제는 마을에게 주도권을 주는 것이 맞지 않을까?

학부모회, 꿈을 지키는 무지개 울타리

2016학년도 학부모회, 다음 해를 준비하다

2016학년도 학부모회장님과 부회장님이 애쓰셨지만, 서로 소통하는 일이 서툴렀다. 여름방학까지 했던 학부모회 활동을 돌아보고 2학기에는 학부모 모임을 세 차례 가지면서 의견을 나누었다. 첫 모임에 학부모님이 스무 명 정도 모이셨다. 맞벌이 가정이 많은데도 이 정도 인원이 모인 일은 기대 이상이었다.(우리 반 학년 초 총회 참석인원이 0명이었다.) 1학기 학부모회 활동을 돌아보면서 앞으로 어떤 방향으로 나가야 할지 이야기를 풀었다. 그 시간이 마침 전담 시간이나 방과 후라 나도 그 가운데 들어갔다. 나는 분위기가 거칠어질 때 흐름을 잠시 멈추거나 학교의 입장을 전하며 함께 했다. 1차, 2차 모임에서 나온 이야기 가운데 다음 해를 준비할 때 적극 참고할 만한 중요한 제안이 있어 정리한다.

첫째, 현재 학부모회 조직도가 일하기에 알맞지 않다. 학부모회장, 부회장, 감사가 모든 일을 다 하는 구조는 비효율적이다. 알맞은 부서를 만들어 적성과 재능이 있는 학부모가 일하도록 하자. 아이들 1인1역하는 것처럼 우리도 온라인, 오프라인에서 학교 일을 돕는 일을 맡으면 어떨까?

둘째, 어머니폴리스가 생긴 취지를 부모들에게 알리자. 어머니폴리스는 동네에서 범죄로 아이를 잃고 경찰과 학교만으로 내 아이를 지킬 수 없다면 부모인 우리도 하자고 해서 생긴 단체이다. 학교에서 정한 인원수를 채우기에는 부모들의 참여율이 낮아 담임교사가 나서서 인원 채우기에 급급하다. 학교에서 정해 주는 일 말고 단체의 취지를 총회 때 알리고, 단체 스스로 회원을 모집하며 할 일을 결정하도록 하자.

셋째, 우리 학교는 녹색교통봉사를 모든 학부모가 하는데 교통지도 매뉴얼이 제대로 없다. 깃발은 어떻게 들어야 하는지, 아이들이 지나갈 때 어떻게 해야 하는지, 횡단보도 가까이에 주차한 차는 어떻게 해야 하는지 누구도 알려 주지 않는다. 모든 부모를 다 모아 놓고 연수하기 어려우니 교육 동영상을 제작해서 부모들과 공유하자.

넷째, 우리 학교는 부모들이 학교 일에 소극적으로 참여하는 편이다. 고학년으로 갈수록 심하다. 바쁜 사정은 이해하지만, 학부모로서 지닐 마음가짐, 학교의 특색사업(특히 회복적 생활교육), 마을에 대해 알아야 한다. 고학년은 졸업을 앞두었으니 할 수 없고, 학교에 관심이 많은 신입생 부모들의 마음을 잡자. 신입생 오리엔테이션 때 학부모회에서 학부모회의 조직, 단체, 마을에 대해 소개할 수 있으면 좋겠다. 그리고 학부모총회 때도 알리자.

참 훌륭한 제안이다. 신입생 오리엔테이션을 앞두고 의견을 내신 부모님들 몇 분들과 온라인과 오프라인으로 소통하면서 단체, 학부모회와 마을을 소개하는 자료와 1인1역 신청서를 만들었다. 오리엔테이션 하는 날 1학년 부장님과 의논해서 선배 부모들과 신입생 부모들이 만나는 시간을 가졌다. 처음이라 낯설지만 신입생 부모님에게 학교를 이해하는 중요한 시간이었다고 생각한다. 예상과는 달리 학부모 1인1역 신청서는 거의 회수가 안 되었다.

봄나들이

새 학년 3월의 어느 토요일에 은지선생님, 솜사탕님, 별님과 곧 돌을 앞둔 별님 딸과 점심을 먹었다. 한적한 곳에 가서 차를 마시고, 어느새 커서 아장아장 걷는 아이를 보면서 봄볕을 쪼였다. 지난 겨울방학에 느낀 암울한 기운과는 다른 이야기를 나눈다. 별님은 올해 학부모회를 세우는 일을 고민하고 있다. 솜사탕님은 곁에서 돕기로 했고. 학부모회 안에서 마을 일 생각하고 아이들 키우는 일이 더 효과적이라고 생각한 모양이다. 공모사업을 따오는 일도 훨씬 수월하겠다. 학부모 동아리에서 수공예를 다양하게 배워 아이들에게도 알려 주고 싶다는 의견에 '실과지원동아리'를 해서 목공이나 수공예 수업을 지원하면 좋겠다고 말했다. 아이들 성교육 문제에 대한 이야기도 한동안 나눴다. 그런데 이야기 도중에 은근히 서운한 마음이 들어 내 마음을 이야기했다.

"어머님, 우리가 만난 지 이제 한 해가 다 지나가네요. 저는 두 분을 만나서 참 좋아요. 학교와 마을에 정말 선한 영향력을 주고 계신다고 생각해요. 두 분이 학교에 대해 기대하는 만큼 학교가 잘하지 못하는 모습이 분명히 있어요. 부끄럽고 안타깝지만 인정합니다. 관리자분들이나 어떤 선생님들께 실망스러우실 때도 있고요.

하지만 남의 학교가 아니라 '우리' 학교잖아요. 그리고 우리학교 그렇게 형편없지 않아요. 관리자 분들도 허용적인 편이에요. 아이들 존중하고 예뻐하시고요. 선생님들도 회복적 생활교육을 접하시면서 어느 정도 일군 문화가 있고, 열심히 아이들 가르치려 하는 분들도 많아요. 이렇게 가까이서 저나 은지선생님과 많은 이야기를 주고 받아온 두 분마저도 우리 학교에 대한 자부심이 없다면 다른 부모님들은 오죽할까 싶어요.

상식 밖의 일이 생기면 당연히 민원 넣으시면 되고요. 그 외의 일은 따뜻한 눈으로 봐주시면 좋겠어요. 못하는 일보다 잘한 일을 먼저 봐 주세요. 저는 아이들 볼 때도 그래요. 잘한 일을 앞서 보면 아이들은 더 잘하고 싶어 하고, 안정감을 느껴요. 올해 회장 후보로 출마하시는 분이 있을지, 여느 해와 같이 아무도 안 나설지 모르지만 학부모회를 맡으시면 내 아이에게 오지 않는 서비스(사실 학교가 서비스 기관은 아니라고 생각해요.) 때문에 못미덥거나 비난하는 시선으로 학교를 대하기보다 협력과 믿음의 눈길을 보내주는 학부모회를 이루시면 좋겠어요. 제가 도울 일이 있으면 말씀 주시고요. 저희도 잘하려고 노력할게요." 이 말이 부끄럽지 않은 교사 공동체가 되어야 할 텐데.

2017년, 학부모회 꿈울이 서다

별님은 내 이야기를 감사하게도 가벼이 듣지 않았다. 그날 이야기 도중에, "아, 찾았네요. 우리 학교 좋은 점!" 하고 이야기했다. 2017년 1학기 아무도 지원하지 않는 자리에 기꺼이 출마하여 회장이 되고, 대의원이신 학부모님들과 함께 모여 올해 사업 공모를 준비하며 학부모회의 이름까지 지으셨다. '꿈을 지키는 무지개 울타리, 꿈울'이다. 안양 관악초 꿈울은 학생과 학부모와 교사가 행복한 일을 하자는 목표를 세웠다. 학생의 행복만 중시하기보다 학부모와 교사가 어떻게 하면 행복할지 학부모회에서 고민하고 실천하겠다는 의지를 담았다.

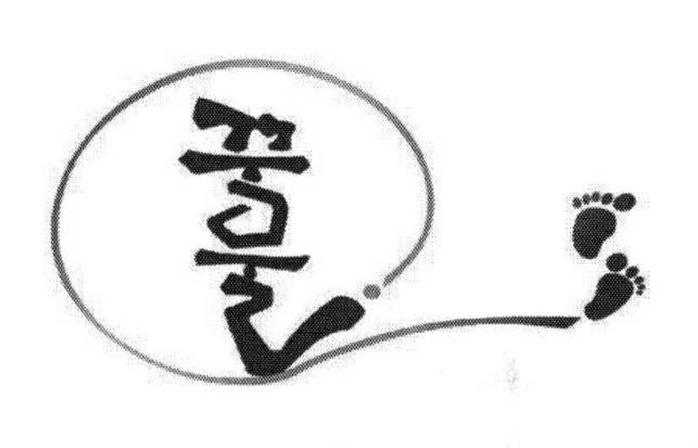

꿈울은 온라인에서는 관리자를 여럿 설정할 수 있는 프로그램으로 학부모의 의견을 받는다. 오프라인에서는 한 달에 한 번 대의원회로 만나는데, 은지선생님이 전담시간에 꿈울 모임 장소에 출장을 달고 가서 신뢰서클(회복적 생활교육)로 모임을 진행하는 방법을 알려주었다. 나는 모임을 시작할 때 부모님들이 함께 읽을 만한 육아 서적(서천석, 하루 10분 내 아이를 생각하다)을 선물해드렸다. 모임 때마다 다 같이 글을 함께 읽고 이야기를 나눈다고 하신다. 서로 삶을 나누고, 그날 안건에 대해 회의를 하고 나서 학교에 전할 내

용은 학부모회장과 몇몇 대표들이 교장, 교감선생님께 공식적으로 전달하는 소통구조를 만드셨다. 어느 한 어머니의 의견이 아니라 학부모회에서 의논하고 결정한 의견을 전하는 일은 학교를 덜 귀찮게 하면서도 학부모회의 의견을 좀 더 힘 있게 전하는 소통 방법이 되리라 믿는다. 아직은 이런 소통 구조가 자리 잡지 않아 가끔 혼선이 있지만, 한 걸음 한 걸음 실천을 만들어 가는 중이다.

학부모 동아리 활동도 활발한데, 올해 새로 '**공**유하는 지식, **공**유하는 즐거움 **자**급**자**족 동아리'를 줄인 '꽁짜'로 공모 사업비를 받아 재능기부로 서로를 가르치고 배우고 누리는 활동을 하며, 학교 텃밭 가운데 일부를 분양받아 텃밭동아리 활동도 시작했다.

학생을 행복하게, 학부모를 행복하게, 선생님을 행복하게 하는 학부모회 꿈울! 학부모회가 이런 방향으로 학교와 소통한다면 마을교육공동체를 세우는데 큰 힘이 되지 않을까? 올해는 정말 학부모회 관련 일이 없다. 알아서 연수를 진행하고 중요한 일은 의논하며 아이들에게 유익한 일을 제안하니 말이다. 꿈울, 파이팅이다!

학부모, 불가근 불가원[14]의 관계?

꿈울 회의에 들어가다

6월 꿈울 대의원회 정기 모임을 학교에서 해서 쉬는 시간에 내려가 보았다. 어, 어째 분위기가 심상치 않다. 분위기를 익히려고 잘 들어보니, 한 어머니가 학교에서 하고 있는 회복적 생활교육에 대해 비판을 하고 계셨다. 어머님은 내가 앉자 하시던 이야기를 이어가신다. 과연 갈등을 해결하는 이 도구가 신뢰성이 있는 것인가, 모든 선생님들이 이 도구를 전문적으로 쓰고 있는 것이냐 하는 이야기이다. 올해부터 대의원회의에서 서클 방식으로 회의하는 일도 싫다, 그냥 예전처럼 학교에서 필요할 때만 일을 하지 왜 새롭게 가려고 하느냐 하는 이야기도 나왔다고 나중에 들었다.

솜사탕님이 듣고

"선생님들께서 이 교육을 꾸준히 배우고 계시고, 적용을 하려고 하시잖아요. 선생님들마다 차이가 있을 수 있다고 생각해요. 하지만 회복적 생활교육 방법에 대해서 자세한 연수도 받지 않은 우리가, 또 학부모도 서클을 올해 처음 경험하는 중인 우리가 벌써부터 아

14) 혁신부장님이 해주신 말이다. 학부모님과 교사 사이는 너무 가까워도 너무 멀어도 안 되는 관계, 애매한 관계라는 뜻.

니라고 속단할 수는 없지 않을까요?" 하신다.

나는 속으로 생각한다.

'저 어머니께서 학부모회 회의 안에서 저렇게 말씀하실 정도면 친한 분들과 이야기를 나눌 때는 어떨까? 그 반은 어느 반일까? 우리 반은 아니겠지?'

이어서 1학년 학부모님은 아이가 학교에 도착하지 않았을 때 연락 오는 시간이 너무 늦다. 유치원과 다르다. 라는 이야기를 하셨다. 또 무슨 안전에 관련해서 이야기를 하신 것 같은데 기억이 잘 나지 않는다. 앞에서 교사의 전문성을 말씀한 어머니 이야기에 충격을 받았는지도.

그때 한 어머니가 코웃음을 치셨다. (응?)

"아, 미안해요. 제가 왜 웃었는지 말씀드릴게요. 아까부터 가만히 이야기를 듣다보니 지금 학교에 요구하자고 말하는 내용이 대체로 '보육'에 대한 내용이에요. 제 생각을 말씀드리면. 학교는 '교육'기관이잖아요. 선생님들이 학생들 공부를 가르치고 생활교육을 하는 부분들에 대해서는 믿어드려야 한다고 생각해요. 그리고 학교 손길이 닿지 않는 '보육'에 대한 부분을 부모인 우리가 하자고 지금 우리가 여기 이렇게 모인 거 아닌가요?" 하는 말씀을 하셨다.

뒤에 몇 마디들이 더 오갔는데, 나는 속으로 이런 어머니도 계시구나 하면서 위로를 받았다. 그런 흐름을 만들어가려고 애쓰고 있는 회장님과 위원장님께도 고마웠다.

여기까지 듣고, 나는 가만히 손을 들어 발언권을 얻었다.

"제가 중간놀이 시간이라 잠시 내려왔어요. 시간이 많지 않으니, 제가 듣고 도울 수 있는 안건으로 이야기해 주시면 어떨까요?"

그런데 갑자기 아까 그 어머니가 질문을 하신다.

"선생님, 여쭤 볼 게 있어요. 우리 학교 아이들에 대해 선생님들은 어떻게 생각하시나요?"

띵~

"아, 어머니, 지금 이 자리는 교사와 나누는 간담회자리는 아니라서.(다들 웃음) 그래도 간단히 말씀드리자면(잠시 생각을 가다듬고), 우리 학교에 올해 열 분의 선생님들이 바뀌었어요. 선생님들이 하시는 말씀이, 다른 학교 아이들에 대면 우리 학교 애들이 순수한 면이 있다고 하세요. 아마도 스트레스 없이 잘 놀게 해주시는 부모님들 덕분이겠지요. 장난꾸러기들이 많긴 해도 못되게 상처 주는 애들은 거의 없다고요. 그런데 또 하시는 말씀이 혁신학교 아이들이라 그런가, 자신이 존중받는 일이 너무 당연해서 가끔 무례해보일 때가 있다고 하세요. 의견을 자유롭게 말하는 일은 중요하지만, 정중함은 갖추어야 하지 않을까요?" 하고, 중의적으로 말씀을 전하고, 내가 들어야 할 내용을 듣고 올라왔다.

회복적 생활교육에 대해 부모님들이 느끼는 정도가 어느 정도 이실까 좀 궁금했다. 나는 지난 3년을 이 학교에서 평화교육을 배우고 익히며 아이들을 보는 시선과 대화 방법을 바꾸어 가고 있다. 아이들과 평화의 관계를 가꿔 가고 있다고 느끼고 있는데, (교원평가에도 아이들의 갈등해결에 대한 만족은 높다) 점점 더 이 도구에 대한 신뢰가 쌓이고 있는데, 다른 선생님들은 어떠실까. 부모님들은 어떠실까 하는 생각이 든다.

그날 회의 뒤에 솜사탕님과 통화를 했다. 처음의 갈등이 풀리고, 앞으로 회복적 생활교육 방식을 지속적으로 해보자 하고 마무리했다고 들었다. 나는 만약 부모님들 대다수가 느끼는 학교의 어떤 문제가 있으면 말씀 주시라고 했다. 솜사탕님은 "대의원회의는 대표성을 띄고 회의를 하는 곳이고, 아까 나온 이야기는 그 의견 가운데 한 가지일 뿐이에요. 문제가 있다면 회의하고, 결과를 정선해서 전달할 것이니 걱정하지 않으셔도 됩니다."라고 말씀하셨다.

대체 뭐가 중요해서 그렇게 화가 난 거니?

여기까지 오니 내가 발톱을 세웠구나, 하는 생각이 들었다. 학교에서 워크숍을 진행하신 박성용 박사님이 전에 하신 말씀을 곱씹는다.

"우리가 갈등이 일어났을 때 사람을 대하는 방법은 대체로 두 가지입니다. 나보다 강한 사람에게는 고개를 숙이거나 상처를 받고, 나보다 약한 사람한테는 공격을 하지요. 우리는 이런 패턴을 기억해야 합니다. 옳고 그름으로 문제를 따지면 상처를 입거나 상처를 주게 돼요. 내 안에 무엇이 중요한지 돌아보고, 그 사람 안에 무엇이 중요한지 보는 연습을 해야 합니다."

아이들한테는 많이 너그러운데, 이상하게도 학부모님이 반대 의견을 내시면 가끔씩 불끈 화가 난다. 이 업무를 맡고 나서 학부모님들을 만날 일이 많다 보니 그런 일이 간혹 있다. 그저 의견을 내신 것 뿐인데 내 안에 화가 있다. 표현하지 못한 화가. 아니, 어쩌면 굳은 표정과 부드러운 듯 뾰족한 말로 표현했을 화다.

나에게 묻는다.
'대체 뭐가 그렇게 중요해서 넌 화가 난 거냐.'

계단을 오르며, 화장실에서 일을 보며 나에게 묻는다.

나는 그 의견이 나를 공격하는 소리로 들렸다. 나는 학부모님께 존중받고 인정받고 싶었다. 서로가 원하는 일이 이루어지지 않을 때 서로 비판하고 상처를 주기보다 대화로 해결하는 공동체는 건강하다. 시간이 필요하겠지. 올해 선생님 열 분이 바뀌면서 학교의 분위기가 매우 달라졌다. 그리고 학부모회 안에서 회복적 생활교육의 가치를 이제 받아들이는 중이다. 실천하면서 기다려 보자. 학부모회가 교사가 아이들을 가르치고 아이들의 생활을 들여다보며 돌보는 일에 전념하도록 돕는 목표를 세웠음을 기억하며 대화를 나눌 때를 기다리기로 마음을 정돈한다.

대의원회의에서 나온 의견을 선생님들한테 교감선생님께서 대신 전달하실 때 가끔씩 학부모님들의 의견을 나처럼 '공격'으로 받는 선생님들이 계시다. 그럴 때 내가 하는 일이 있다. 내가 알고 있는 학부모회의 뜻과 마음가짐을 전해서 거칠어지는 분위기를 부드럽게 하는 일이다. 그리고 때로 학교가 미처 헤아리지 못해 아이들과 부모님들에게 실수한 부분이 드러나면 인정하고, 더 나은 방법으로 나아가도록 제안하는 일까지도 하려고 애는 쓴다.(그건 조금 용기가 필요한 일이다. 나는 소심하다.) 서로를 신뢰하며 교사, 학부모 공동체가 성숙해 가길 바란다. 이게 혁신학교가 나아가는 방향이고, 사람을 대하는 성숙한 방법이기 때문이다.

마을을 바꾸어 가는 꿈과 실천

어린이에게 놀이터를 돌려주세요

2016년 은지선생님의 4학년 교실 이야기를 하려고 한다. 은지선생님은 지역사회의 문제를 해결하는 단원을 공부하면서 원으로 둘러 앉아[15] 세 가지 질문으로 수업을 이끌었다.

우리 마을이 좋은 점은 무엇인가요?
우리 마을이 안 좋은 점은 무엇인가요?
그 가운데 가장 큰 문제는 무엇인가요?

놀이터가 많아 친구들과 잘 놀 수 있는 마을이 좋다고 한 아이들은 마을의 가장 큰 문제 역시 놀이터에 있다고 답했다. 특히 기린놀이터가 가장 심하다고 했다.

할아버지들이 놀이터에서 술을 마시고, 노름을 해요.
담배도 피고요.
할머니들은 우리가 놀고 있으면
조용히 해라 저리 가라고 소리를 지르거나 욕을 해요. 무서워요.

---

15) 서클 방식을 하는 학급 토의

선생님은 이 일이 진짜 그런가 알아보자며 조사표를 나눠줬다. 2주 동안 시간을 정해서 시간이 날 때마다 기린 놀이터에 가서 문제행동을 볼 때마다 체크를 해 오기로 한다. 결과를 보고 적어도 일주일에 2-3번은 어르신들의 문제행동이 나타난다고 결론을 내린다. 선생님은 그 내용을 보고 우리 아이들이 정말 가엾다고 느꼈다. 그렇다면 어떻게 할 것인가? 다시 회의를 했다.

캠페인 8회
제안하는 글을 쓰고 공익광고 포스터 만들어 게시하기

아이들은 캠페인 날짜를 정하고 알맞은 문구를 넣은 피켓을 만들고 놀이터로 향한다. 은지 선생님은 막상 캠페인을 나가니 아이들보다 더 떨렸는데, 처음에 수줍어하던 아이들 특히 교실 안 개구쟁이들이 앞서 당당히 구호를 외치는 모습이 무척 감동스러웠다고 한다.

놀이터는
아이들이 주인공이다.
놀이터를
우리에게 돌려주세요.
놀이터에서
담배피지 말아주세요.
술 마시지 말아 주세요.

거리와 놀이터에서 외치는 아이들의 모습을 보며 박수를 보내는 분들도 계셨지만 다섯 번째 캠페인 날, 그동안 참아온 술 취한 할아버지(평소 욕을 잘 하시는)가 소리를 지르기 시작한다.

은지선생님은

“아이들이 지금 사회공부를 하러 나왔는데요. 좀 이해해 주세요.”

“나라가 여자 대통령을 잘못 뽑아 망할 지경인데, 당신이 선생이야? 애들한테 지금 저게 교육이라고 하는 거야?” 하는 막말이 이어진다.

“지금 아이들이 듣고 있는데, 좀 조심해 주시겠어요?” 해도 막무가내로 소리, 소리 지르는 할아버지. 마침내 가까이에서 미용실을 하던 학부모님이 나서서 왜 우리 담임선생님한테 소리를 지르느냐며 따지고 경찰을 불렀다.

이 일을 겪고 다시 교실에 온 아이들과 선생님은 앞으로 어떻게 할 지 다시 둥글게 모여 회의했다. 선생님은 아이들이 풀이 죽어 그만두자고 하겠지 했다. 하지만 아이들은

“선생님, 우리가 다음에 안 나가면 할아버지는 우리가 쫄아서 안 나오는 줄 알 거예요. 물러서지 말아요. 앞으로 세 번 더 나가요.”

하고 의견을 모은다. 선생님은 다시

"우리가 안전한 방법으로 캠페인을 하려면 어떻게 해야 할까?"

학교 전담경찰을 불러요.
엄마랑 같이 갈래요.

다행히 난동을 부린 할아버지가 아이들이 돌아가고 나서 미용실 학부모님한테 사과를 했다고 한다. 아이들이 더 하기로 한 세 번의 캠페인에는 학부모님 몇 분과 학교전담경찰도 함께 했다. 아이들은 이 일을 나중에 연극으로 만들어 교육과정 발표회에서 발표할 정도로 뿌듯함을 느꼈다. 당장 놀이터 문화가 바뀌지는 않았지만 캠페인 활동 뒤에 놀이터 사정이 전보다 나아졌다는 훈훈한 이야기가 전해 내려오고 있다. 아이들의 수업 소감문 몇 가지를 옮겨 본다.

처음에 캠페인을 할 때는 창피해서 고개도 못 들었다. 하지만 지금은 친구들과 함께라면 당당히 할 수 있을 것 같다. 어린이들이라도 캠페인을 하면 마을을 바꿀 수 있다. 이 수업은 중요한 수업이라고 생각한다. (초4 김**)

지역에 있는 문제를 친구들이 발표할 때 할아버지들 이야기가 나왔는데 나도 지나가다가 담배 피고 싸우는 것을 본 일이 있는데, 기린 놀이터는 더 심하다는 것을 알았다. 처음에는 많이 떨리고 준비가 안 되었는데 하다 보니 마음도 편안해지고 재미있었다. 할아버지들이 많이 계신 날 했는데 화를 내셨다. 무서웠다. 하지만 학부모님이 도와주시니 용기가 났다. 캠페인이 끝나서 정말 아쉽다. 이제 용기가 나는데 끝나서 아쉽다. (초4 문**)

캠페인을 할 때 어떤 분들은 칭찬을 해주시니 웃음도 나고 할 맛도 났다. 친구들과 같이 하면서 협동심이 늘어난 것 같고, 전에 한 번 크게 일이 난 적이 있어서 충격 받았지만 선생님이 무서운 게 아니라고 하셔서 용기가 났다. 우리가 공익광고를 만들었는데 놀이터에 게시판이 없어서 못 붙여서 아쉽다. 내가 과연 놀이터 문화를 바꿀 수 있을까? 생각하면서 했는데 그게 제일 좋았다. (초4 박**)

아이들 눈빛이 살아나는 경험, 마을을 위해 한 경험이 오래 아이들 마음에 자랑스럽게 남을 것 같다. 그러나 이 문제는 첫 장에서 말한 노인정 문제와도 연결되어 있다는 것을 알아야 한다. 동네 어머니들 소문에 의하면 그 할아버지들이 좀 유명하시다고 한다. 그래 노인정 출입이 껄끄러워지셨는데, 거기 말고 또 가실 데가 없어 놀이터에서 지내신다고 한다. 안타까운 일이다.

다시 해보자, 기적의 운동장

놀이터 솜사탕님은 2017년에도 운영위원장을 맡았고, 새로 생긴 학부모 동아리 놀맘에서 활동하고 있다. 아이들이 학교를 마치면 솜사탕님은 정문 맞은 편 황금놀이터에서 뜻을 같이하는 몇 몇 어머님들과 아이들을 놀리며 오후 시간을 보내곤 한다. 그런데 놀이터에서 아이들을 위협하는 두 아이가 문제다. 이 아이들의 거친 말과 행동 때문에 어머니들이 골치를 앓고 있나 보다. 이 두 아이들은 학교에서도 유명한 아이들이다. 솜사탕님은 두 아이를 자세히 관찰하고 이해하면서 어머니들에게 어차피 동네에서 같이 커야하는 아이들이니 이렇게 저렇게 해보자 제안을 하신다. 한 번이라도 더 두 아이와 눈을 맞추고 이름을 불러주고 아는 척을 하려고 애쓰고 있다. 마침 같은 빌라에 한 아이가 살아서 아이 아버지와 얼굴을 트기도 했다고. 그야말로 동네 부모 되는 일을 하루하루 실천하고 있다.

놀이터에서 아이들을 만나며 그는 여전히 꿈을 꾼다. 조금 위험하더라도 아이들이 다양한 상상력을 갖고 뛰어 노는 놀이터를 만들면 얼마나 좋을까? 아이들이 신나게 놀도록 지켜봐 주고, 필요할 때 지원해 줄 어른이 있으면 얼마나 좋을까? 이 꿈은 2017년이 되어서도 여전히 살아 있다. 그리고 그 꿈은 더 중요해졌다. 왜냐하면 지난해 발족한 따마네 활동을 통해 관양동의 문제를 더욱 자세히 마주하며 이 마을을 살려야 한다는 절박한 마음이 생겼기 때문이다. 따마네 카톡방에 오가는 대화를 보고 알았다. 2030 안양도시기본계획(2017.6) 어느 페이지를 살펴봐도 관양동에 대한 계획은 거의 없다는 사실. 앞으로 동편마을 아파트 단지 쪽과 새로 개발을 확정한 관양고등학교 쪽을 개발하면 이 마을은 더욱 소외될 수밖에 없는 현실에 낙심하는 소리를 듣는다. 솜사탕님은 이 마을에 생기를 불어넣으려면 '아이들이 잘 노는 동네', '생태놀이터가 있는 동네'라는 아이디어가 중요한 열쇠라고 생각한다.

지난 7월, 방학을 앞두고 솜사탕님은 다시 교장실을 찾았다. 다시 생태놀이터에 대한 이야기를 꺼내면서 학기를 시작하면 교사, 학생, 학부모, 주민이 모이는 간담회를 열어달라고 건의했다. 나는 이 이야기를 듣고 요즘 편해문 님이 서울교육청과 운동장에 대해 논의하는 내용을 페이스북에서 잠시 보았는데, 지난해에 우리 학교가 그 일을 추진했다면 어땠을까? 생각이 든다. 간담회를 준비하며 솜사탕님은 이 일을 현실로 그리기 위해 사람을 만나고, 절차와 법을 알아본다고 했다.

이 일로 개학 다음 날 전 직원이 모여 놀이터 문제를 이야기했다. 하지만 이미 정해진 답을 갖고 교장선생님과 행정실장님이 말씀하셨다.

- 놀이터 시설 사업비가 5억 정도의 예산이 들어온다고 하면? 행정실은 지금도 일이 많다.
- 지금도 놀이 유지 보수 관련으로 민원이 많은데, 유지 보수에 필요한 예산이나 민원을 어떻게 감당할까?
- 최초의 놀이터를 하면 그만큼 사람들의 관심과 방문도 필요 이상일 텐데?
- 긴급하게 해야 할 시설 사업이 있다. 우리의 우선순위가 놀이터는 아니다.
- 놀이터에 수로를 만든다고 하는데, 그 상하수도 요금이나 관리를 어떻게 감당하겠는가? 주민들이 이용하게 되면 어떤 일이

벌어질지 경우의 수가 너무 많다.

- 결론은 부담스럽다.

분위기가 학교 측의 의견으로만 몰려 두근거리는 심장을 누르고 발언을 했다.

"이제까지 안 되는 까닭에 대해 말씀하셨으니 저는 좀 다른 이야기를 할게요. 교장선생님과 행정실장님의 이야기를 들으니 충분히 공감하고, 학교 운동장을 바꾸는 일은 쉽지 않다고 생각합니다. 만약 사업을 하게 되면 업무담당자인 제가 그 일을 맡겠죠? 주름살 많이 늘겠지요.(다들 웃음) 저도 부담스러워요. 하지만 제가 그동안 마을교육공동체 담당자로서 마을 주민들을 만나 보니 이런 제안이 나올 수밖에 없는 주민들의 필요를 알게 되었습니다. 아시다시피 이웃 학교는 학생 수가 늘어 증축을 했어요. 우리학교는 학급 수가 줄었고요. 동편마을에는 각종 편의시설이 생겨요. 작년에 시립도서관도 생겼지요. 이 마을에 사회적 약자들이 많이 살아요. 장애인들도 안양에서 가장 많고 위기아동도 많습니다. 하지만 필요한 시설은 생기지 않고 자꾸 소외당합니다. 이 마을에 사는 우리 아이들이 안쓰러워요. 교사들은 이 학교에 5년 근무하면 떠나지만 주민들은 이 마을에서 계속 살아요. 그 문제를 해결하려는 애씀 가운데 생태놀이터 이야기가 나왔어요. 2학기에 마을탐사대 활동을 할 예정인데, 5,6학년 학생 동아리가 마을안전지도를 그려서 이 마을의 취약함을 알리는 일도 하려고 해요. 학생 수를 늘리는 일이 우리의 목

적은 아니지만, 마을과 소통하면서 우리가 할 수 있는 일을 함께 하면 좋을 것 같아요. 마을의 이런 사정을 선생님들이 알아 주셨으면 좋겠습니다."

말을 마치자 달아오른 얼굴이 뜨겁고, 심장은 바깥으로 튀어나올 것 같았다. 다행히 이후에 함께 이야기를 나누는 동안에 선생님들은 생태놀이터의 취지에 대해서는 긍정적인 마음을 표현해 주셨다. 하지만 학교로 들어오는 일은 여전히 부담스러워했다. 이 업무를 하면서 학교가 새로운 시설을 들이는 일에 극도로 민감하다고 느꼈다. 선생님들은 학교가 아니라 지자체에서 학교 밖 황금놀이터나 학교 뒤 교육청 부지에 하는 일은 환영한다는 이야기로 결론을 내렸다. 그날 회의에서 이 일의 취지에 대해 솜사탕님께 직접 듣지 못하고 우리끼리 이야기한 일이 아쉬웠다. 불안하고 두려워서 무조건 안 된다고 하지 말고, 적어도 상대방이 하는 이야기를 들을 수 있는 마음의 공간이 선생님들의 마음에 있기를 나는 기도한다. 결론은 여전히 "그래도 그 일을 못하겠다." 일지라도.

처음 솜사탕님을 만났을 때, 방과 후에 아이들이 마음껏 뛰어노는 문화를 만드는 일이 필요하다는 말에 동의했는데, 그때로부터 여기까지 왔다. 아이들이 행복하게 뛰어노는 학교와 마을이 되는 일이 마을을 살릴 수 있는 길과 이어진다. 이 일이 어떤 모양으로든 꼭 이루어지면 좋겠지만 혹시라도 학교와 마찰을 빚는 일이 일어난다면 우리가 성숙하게 갈등을 해결하기를 바란다.

이 외에도

2학기에 마을동아리활동으로 마을탐사대 공모사업비를 받았다. 마을안전지도 만들기 프로젝트를 할 계획이다. 우리 학교 아이들(5,6학년 20명)을 4인 1모둠으로 짜서 팀 코치가 각 모둠을 이끌 예정이다. 6주 동안 토요일마다 모여서 마을에서 놀기에 안전한 곳, 위험한 곳, 범죄가 발생한 곳, 도움을 요청할 곳 등을 조사하며 마을의 실태를 조사할 것이다. 그 내용을 지도로 만들고 우리가 꿈꾸는 마을 지도도 만들어 시청에 공공제안을 하려고 한다. 2월에 지속가능한 마을동아리에 관련한 공모사업이 있다고 내가 안내하자 따마네, YMCA, 주민들이 의논해서 계획서를 작성해 왔다. 이 모든 과정이 순조롭길 바라고 무엇보다 우리 아이들이 자랑스러워할 만한 일이 되길 바란다.

학부모 교과지원동아리 꽁짜에 대해 앞에서 이야기했다. 10월에 목공 수업을 계획했다. 학부모 목공 전문가에게 5,6학년 교사들이 전문학습공동체 연수를 받는 일을 시작으로, 주강사인 솜사탕님이 거꾸로 수업을 기획해서 미리 영상을 만들 것이다. 2차시는 설계하기, 4차시는 실습하기로 교육기부 수업을 진행한다. 가을 학교 축제 때는 텃밭 음식점과 수공예 체험부스를 운영해서 아이들이 다양한 체험을 할 계획을 했다.

학교 뒷산과 주택가의 쓰레기 투기 문제도 이 마을의 문제이다. 이 일은 교육과정 중에 봉사활동과 연결해서 문제 해결을 시도하고 있다. 2014년, 2015년에 6학년 아이들이 모은 뒷산 쓰레기를 동사무소 청소과의 협조를 받아 처리했다. 보통 주민들은 집 앞에 쓰레기를 두는데 쓰레기를 제 시간에 가져가지 않아 거리가 더럽고, 정해진 시간과 장소를 무시하고 쓰레기를 내놓는 주민들이

있어 거리가 청결하지 못하다. 작년까지 이 문제로 5학년 아이들과 통학로 화단에 꽃 심기를 해왔는데, 2학기에는 봉사활동으로 캠페인과 환경정화 활동을 하려고 한다.

마을과 함께 하는 교육활동

제 목	내 용
놀이터 문화 바꾸기 캠페인 (4학년)	지역의 문제를 해결하기 위해 놀이터에서 일어나는 문제를 아이들 조사하여 실태를 파악하여 8회 캠페인 활동 실시함.
마을로 가는 소풍 (전학년)	정다운 골목 파랑새 선생님, 동사무소 마을담당자의 도움을 받아 통학로 꽃 심기, 급수대 디자인하고 설치하기, 골목에서 간식 먹기, 가까운 마을 산, 하천 나들이, 벽화 그리기, 골목에서 단오체험하기
꽁짜와 함께 하는 실과수업 (5-6학년)	실과지원 학부모 동아리 꽁짜와 목공 수업 6차시 진행 예정. 5,6학년 교사 연수, 거꾸로 수업 영상제작, 2차시 설계, 4차시 실습함.
손끝예술축제 (전학년)	1-4학년은 꽁짜가 마련한 수공예 체험부스를 체험하고, 텃밭식당에서 음식을 만들어 팔아 우물파기 기금을 마련할 예정.
다놀데이 (1학년부터 점차 확대)	놀맘동아리와 함께 하는 편해문 선생님의 놀이철학이 담긴 전래놀이
마을 탐사대 (5,6학년 신청자)	학생 동아리를 꾸려 마을안전지도를 그리고, 우리가 꿈꾸는 마을지도를 그려 시청에 공공제안을 할 계획임.
쓰봉과 함께 하는 놀이터 장터 (신청자)	청년 동아리 쓰봉이 지역 쓰레기 문제를 알리는 장터를 마련하고, 아이들은 물건을 팔기도 하고, 장터 행사를 즐기기도 함

이사를 고민하다

2014년 12월에 분가를 했다. 가을에 살 집을 알아보면서 크게 갈등했다. 이 마을에 들어와 살아야 하지 않을까? 은지선생님의 권유도 있었다. 하지만 남편과 의논하며 집을 알아보다가 결국은 아는 언니가 사는 동네로 이사했다. 전셋집 만기가 다가오던 2016년 여름부터 가을까지 나는 다시 이사에 대해 심각하게 고민했다. 마을에서 뜻이 있는 분들을 만나고, 이 마을의 필요를 보면서 이곳에서 변화를 만들어가고, 힘을 모으는 게 좋지 않을까? 하지만 내 마음은 혼란스러웠다. 남편은 처음에는 이 마을로 이사하는 일을 달가워하지 않았지만 내가 여러 번 말하니 이번에도 모든 선택권을 나에게 주었다.

고민이 깊어져 힘들어할 때 나는 공동체의 도움을 받아 파커 파머16)가 개발한 '명료화 모임'에 참여했다. 이 '명료화 모임'에서 나는 두 시간 동안 중심인물이 되었다. 네 명의 위원들은 내게 '정직하고 열린 질문'을 던져 내 내면의 생각이 명료해 질 수 있도록 도와주었다. 나는 '지금 사는 곳에 남을 것인가, 관양동으로 이사할

16) 교사들의 내면을 세우는 신뢰서클을 개발한 미국의 교육 지도자

것인가, 어떤 선택이 옳은가?' 에 대한 답을 찾고 싶었다. 위원들이 던지는 물음을 따라 내 마음의 느낌과 생각을 길어 올렸다. 그 과정을 통해 나도 모르게 나를 누르고 있던 당위를 발견했다. '이 마을에 대한 나의 사랑을 증명하는 방법은 이 마을에 사는 일이어야 한다. 그것이 옳다' 하는 생각이 나를 압도했다. 하지만 그 일을 선택할 때 우리 가족들이 치러야 하는 대가가 너무 클까봐 두려웠다. 조용히 그런 내 모습에 머문다. 사랑하려고 끙끙거리는 나를 그대로 인정하면서 내 안에 있는 사랑을 누군가에게 증명할 필요가 없고, 이 마을을 돕는 일이 주민이 되는 일과 같지 않아도 된다는 사실을 받아들인다. 마음이 자유로워졌다. 나는 살던 곳에 남았다.

올해도 마을교육공동체 담당자

어떤 선택을 하면 늘 가지 않은 길에 대한 궁금함과 아쉬움은 남지만 사는 동네를 바꾸지 않고도 올해도 마을교육공동체 담당자로 살고 있다. 지난해에는 모든 것이 처음이라 서툴렀고, 담임과 부장업무를 감당하면서 마을 일에 몸과 마음을 써야 할 때가 많았다. 올해는 부장업무를 선택하지 않았고, 다른 선생님과도 일을 나눴다. 심지어 올해는 학부모회가 스스로 굴러가니 많이 편안해졌다.(아, 정말 고마워요.)

2학기에는 지난해에 오며 가며 주고받은 이야기들을 교육과정에 펼치고 있다. 마을안전지도 만들기, 가을 학교 축제, 목공수업, 봉사활동이 남아있지만, 아이들에게 의미가 있고 즐거운 공부가 될 것 같아 기대하는 마음이 있다. 지난해에는 중구난방으로 움직였는데 이제 뭔가 가지치기를 한 느낌이 든다.

학부모회가 스스로를 돌보면서 아이와 교사들의 행복을 지원하는 또 하나의 교육 주체라는 생각에 마음이 놓인다. 교사와 소통하며 함께 교육과정을 고민하고, 지원할 힘을 키우는 모습도 든든하다. 동네에서 아이들이 잘 뛰어놀게 하고, 내 아이의 친구까지도 품는 문화를 만들어 가려는 움직임이 귀하다. (이런 부모님들을 위해 지자체가 놀이터도 만들어주고, 활동 공간(센터)도 만들어주고, 실무자도 붙여 주면 참 좋겠다.)

우리 학교 아이들은 파랑새님이나 쓰봉 청년들을 통해 마을을 만나기도 하고, 파랑새님을 통하지 않고도 마을로 가는 소풍을 떠난다. 관악산을 오르고, 학의천을 걷고, 안양예술공원을 향한다.

학교 밖 축제는 없지만, 계속해 온 우리 학교만의 가을 축제를 학부모회와 함께 준비하기 때문에 훨씬 더 풍성할 것이다.

해마다 이 정도만 꾸준히 해도 학교와 마을에 생기가 돌 것이다. 언젠가 우리의 근무 기간을 다 채우고 떠나도 이런 이야기가 계속되었으면. 하지만 다음 담당자는 누가 하지? 하는 고민은 종종 한다.

학교 안 교사, 학교 밖 교사

마을교육공동체 업무를 맡으며 교사들이 교실에서 아이들 눈을 맞추며 돌보고 가르치는 일에 전념할 여건을 만들어야 한다는 생각을 자주 했다. 마을에 필요한 예산이 학교로 내려온다. 학교는 일을 기획하고 절차대로 처리하느라 힘들고 주민들은 계획한 일을 진행함에도 예산을 사용할 때 공연히 학교 눈치를 본다. 지난 7월, 교육청과 시청 관계자들과 마을교육공동체에 대한 토론회를 가졌다. 선생님들의 마음을 대신해서 한 분이 말했다.

"시청, 동사무소, 사업을 하려는 주민들에게 마을교육공동체 예산을 주면 안 되나요? 학교로 자꾸 주지 말고요. 그렇게 하면 학교도 마을도 편하지 않을까요?"

선생님들이 고개를 끄덕인다. 하지만 장학사님이 교육청에서 내려오는 돈을 그래 주는 일은 학교 회계에 맞지 않다고 하셨다. 쉬운 방법이 규칙에 맞지 않기 때문에 어렵게 해야 한다면 그 일은 그냥 하지 말아야 하는 게 아닐까? 정말 필요하다면 규칙부터 바꿔야지. 교사가 원하지 않아도 관리자의 의중에 따라 번거로운 절차를 거쳐야 하는 사업을 따와야 할 때 교사가 겪는 난감함이 안타깝다. 마을 일을 의미 있게 할 수 있는 조건에서도 마을 사업을 진행하는 일은 쉽지 않다. 잘 하려고 하면 끝이 없기 때문이다. 일에 파묻히다 보면 교실 속 아이들은 우선순위에서 밀려나기도 한다. 아이들은 흥미롭고 새로운 체험을 하며 즐겁게 배우기도 하지만 아이들한테는 일정한 리듬을 반복하며 편안한 마음으로 배움을 익히는 시간도 필요하다.

학교가 마을 사업을 주도하는 일보다는 마을과 만날 준비, 함께 협력할 마음을 가지는 일만으로 많은 일을 할 수 있다. 마을교육공동체가 이기심을 버릴 수 있는 까닭은 그 중심에 아이들을 두고 있기 때문이다. 이 일에 관심 있는 사람들이 모여 아이들의 온전하고 지속적인 성장을 돕기 위해 무엇이 필요한지 생각하고 나누다 보면 갈 길이 보인다. 교사가 할 일과 부모가 할 일을 서로 생각해보아야 한다. 나는 소통하지 않는 학교를 향한 학교 밖 사람들의 답답함을 종종 마주한다. 그럴 때 내가 비난받는 느낌이 든다. 그럴 때 나는 이 학교를 떠나 다시 교실 속으로 숨고 싶다. 십 년 넘게 계란 판 속 달걀처럼 내 교실이 학교의 전부인 양 살았던 익숙함과 편안함이 나를 유혹한다.

하지만 누구를 만나든지 존중하고, 갈등이 일어났을 때 대화로 해결하라는 나의 가르침에 책임감을 느낀다. 또한 혁신학교에서 일하면서 교실 문을 열고 나아가 선생님들과 수업을 나눌 때 경험한 풍요를 기억한다. 그래서 나는 혼자 숨는 일보다는 함께 마주하는 일을 하려고 한다. 작은 목소리로나마 조심스럽게 낯선 이들의 마음 문을 두드리고, 누군가가 내 마음을 두드리는 일을 허락한다. 그 과정에서 뜻하지 않게 서툴고, 때로 강한 벽을 만들기도 하고, 지치기도 하고 상처받기도 했다. 하지만 함께여서 더 즐겁고 풍성한 경험이 늘 있었다. 그래서 그만두고 싶다고 말하다가도 다시 꿈을 나누고 있다. 이런 태도는 교사로서 아이들에게 보여 주고, 가르쳐야 할 중요한 태도라고 생각한다.

똑똑, 거기 누구신가요?

이 글에서 별님과 솜사탕님의 이야기를 빼면 남는 내용이 거의 없다. 그래서 두 분에게 이 글을 봐 달라고 부탁드렸다. 고맙게도 별님이 글을 읽고 별님의 이야기를 선물해 주셨다. 별님의 글을 함께 나누려고 한다.

꿈의 학교를 하면서 만난 창문17) 쌤은 그렇게 다가오셨다. 뜨거웠던 여름, 그리고 그보다 더 뜨겁게 살아가고 있던 나에게 다가와 준 선생님은 작은 목소리로, 천천히, 조심스럽게 말씀하셨다.

"저... 어머님에 대해 알고 싶어요."
'어? 나에 대해 알고 싶다고? 선생님께서?'

지금까지 나는 다양한 일들을 해왔다. 기업에서 행복에 대해 얘기하고 조직원들의 긍정정체성과 긍정조직문화를 함께 만들어가는 일이었다. 마을? 학교? 물론 관심은 있었지만 열정페이를 강요하는 소모적인 대상이라는 생각뿐이었다. '그래 나중에... 시간 나면 하자. 누군가 하겠지. 지금은 아니야.'라는 생각으로 아이가 초등학교

17) 나의 별칭, 햇살 비추는 '창문'

1학년이 될 때까지도 내 일을 위해 뛰어다녔다. 내가 일하는 동안 아이는 생후 3개월부터 어린이집을 다녔다. 입학하고는 학교 돌봄교실에서 늦게까지 보내다가 내가 올 때까지 학원에서 기다렸다. 그래서 늘 아이에 대한 죄책감이 컸다. 사람들에게 자신의 행복을 찾으라고 얘기하고 삶의 가치를 찾아 시간을 투자해야 한다는 얘기를 하면서 우리 아이의 행복이 희생당한다는 생각을 지울 수 없었기 때문이다. 뭐라도 아이를 위해 해 주고 싶었지만 장난감을 사주거나 함께 여행을 가는 것 이외에 다른 것이 생각나지 않았다.

아이가 학교에 입학하고 생각지도 않게 학부모회 회장을 하게 됐다. 아이는 총회가 있던 그날에도 돌봄교실에서 날 기다리고 있었고 어머니들은 아무도 회장을 하고 싶어 하지 않아서 총회가 끝나지 않았다. 그래서 내가 할 테니 제발 좀 집에 가자고 얘기한 것이 학교에 들어가게 된 첫 시작이었다. 그 당시 선생님들께서는 걱정이 크셨다고 한다. 저 암 것도 모르는 1학년 엄마가 회장이 됐으니 올 한 해는 큰일 났다고.

이왕 회장이 됐으니 아이에게 행복한 학교를 선물해야겠다는 생각에 이것저것 프로그램을 만들어 진행했다. 그리고 알았다. 1학년이 학부모회장이 되면 안 되는 이유를. 그것은 경험 부족이나 능력 부족이 아니었다. '내 사람이' 없기 때문이었다. 나를 돕겠다고 얘기해줬던 엄마들은 행사가 있을 때 사라지고 없었다. 혼자 몇 명의 사람들과 학교 일을 한다는 것이 얼마나 힘든지 뼈저리게 느끼며 뛰어다니다 보니 1년이 후딱 갔다.

다행히 진행한 사업은 잘 마무리했고 교장선생님께 칭찬도 받았다. 그리고 다음해 안양 관악초로 전학을 갔다. 우리 학교에 오면서 한 가지 결심을 했다. 내가 '누군가의 사람'이 되어줘야겠다고. 학교 일을 하면서 외로웠던 기억에 함께 뛰어 주는 사람이 되자고 생각해서 운영위원회에 신청서를 냈다. 사명감도 아니고 세상을 바꾸겠다는 큰 목표도 아니었다. 다만 우리 아이가 행복했으면 좋겠다는 이기적인 생각뿐이었다. 그런데 내 아이가 행복하려면 친구들이 행복해야 한다는 걸 알았다. 그래서 내 아이를 돌보면서 친구 한 명씩 초대하던 것이 '꿈의 학교'까지 갔다. 그동안 교육생들에게 내 꿈을 얘기할 때는 뭔가 공허했는데 지금 나와 우리 아이가 걷고 있는 길을 얘기할 때는 살아 움직이는 꿈을 이야기하는 느낌이 들어서 행복했다. 그리고 둘째가 생기며 본격적으로 마을과 학교에 뛰어들게 되었다.

이게 지금까지의 나다. 그런데 이런 나를 궁금해 한 사람은 많지 않았다. 그냥 '에너지 많은 엄마구나. 참 나대는구나. 좋은 일하네. 저 엄마는 뭐야?' 라는 얘기는 있었을 것이다. 뒤에서 나를 많이 궁금해 했어도 아무도 내게 직접 와서 어떤 사람인지 알고 싶다고 얘기하지 않았다. 꿈의 학교를 할 때 교육장님께서 "어쩌다가 이런 일을 하셨어요?"하고 농담처럼 던지신 말이 그나마 들었던 나에 대한 질문이었다. 이런 종류의 질문은 가끔 듣는다. 결과에 집중하고 여기까지 오게 된 과정을 묻는 질문. 그런데 내가 어떤 사람인지를 묻는 질문은 흔하지 않다. 그래서 당황했다. 왜 나한테 관심을 가지시지? 뛰어다니다가 잠깐 만나서 나의 이야기를 폭탄처럼 쏟아내고 다시 꿈의 학교로 뛰어가며 뭔가 진짜 나를 말씀드리지 못했단 생각을 했다. 그냥 보여지던 나, 교육생들에게 지금까지 얘기했던 안전한 나를 말씀드리고 왔다. 선생님과 친하지 않았고 어쩌면 더 깊은 나를 보여 드리는 것도 불편하셨을 것이란 생각이 들었다. 무엇보다 다른 나를 생각해 본 적이 없다. 그냥 내 모든 것의 중심에는 아이가 있었을 뿐이고 죄책감의 키워드를 버리고 싶어서 시작한 일이 생각보다 재밌었고, 그 일을 잘하는 나를 발견했을 뿐이다. 교육과 마을에 대한 내 생각, 그리고 내 삶과 이 일이 어떻게 연결되어 있는지는 생각해 본 적이 없었다. 하지만 나를 알고 싶어 하는 창문 쌤의 두드림이 있어서 나에 대해 생각해 볼 수 있는 기회가 됐다.

시간이 지나 둘째 육아로 힘들어하며 나를 잃어간다는 생각을 할 때쯤 선생님께서 이 글을 선물해 주셨다. 선생님께서 지금까지 마을과 함께 하신 일, 나처럼 학교와 마을을 위해 일하는 동네 사람들의 이야기가 담긴 글이었다. 선생님의 일상이 담긴 글을 보며 '와 정말 바쁘게 움직이셨구나, 대단하다.'하는 말이 저절로 나왔다. 그리고 선생님에 대해 조금 알 수 있게 돼서 기뻤다. 난 선생님에 대해 아는 게 진짜 없다는 생각과 알려고도 안 했다는 미안함이 밀려왔다. 그리고 나와 함께 뛰고 있었던 마을 사람들의 이야기를 보며 '맞아! 난 이번에 외롭진 않았어! 나랑 같이 뛰는 사람들이 많았지!'라는 위로를 받았다.

나를 기억하는 누군가가 있어 다시 나를 찾았다. 내가 잊고 있던 나를 기억하는 누군가가 있다는 것이 이렇게 큰 힘이 될 줄 몰랐다. 항상 아이에게, 학생들에게 "네가 어떤 사람인지 잊으면 안 돼. 그럼 누군가가 생각하는 사람처럼 변할 수 있어. 누군가 너에게 나쁜 말을 했을 때 '아니야. 넌 날 잘 모르는구나. 난 좋은 점이 많은 사람이야.' 하고 얘기해야지."하고 말해 왔다. 남들이 날 나쁘게 보는 최악의 경우만 생각했지 나의 좋은 점을 기억해 주는 기쁜 상황은 생각을 안 해봤다.

이젠 사람들에게 다른 얘기도 꼭 해 주고 싶다. "내가 나를 잊어가고 있을 때 나의 빛나고 뜨거웠던 순간을 기억해 주는 그 사람을 찾아가. 그리고 그때의 내 이야기를 들어. 그럼 잊어버린 내가 다시 기억날 거야. 그 기억을 모으는 것도 잊지 말아야 해." 나도 이제는 누군가의 그 순간을 기억해 주는 사람이 되겠다고 생각했다. 그들의 눈이 빛난 순간, 웃음이 끊이지 않던 순간, 뭔가 열심히 집중하느라 입을 모은 순간, 신나서 뛰어다닌 순간을 기억해 주는 사람이 되고 싶다. 나의 그런 순간을 기억해 주는 창문 쌤이 계셔서 난 정말 행복하다.

이젠 창문 쌤의 '똑똑'이 기다려진다. 오늘도 누군가의 가슴에 '똑똑'을 하고 계실 선생님이 그려진다.

마을과 함께 살아간다는 것

아래 글은 혁신부장 5년차 김이선 선생님이 나에게 선물하신 글이다. 우리학교가 실적을 앞세우기보다는 아이들의 필요를 생각하고, 교사들의 협력문화를 만들어 가는데 소중한 역할을 하신 분의 이야기를 남긴다.

4차 산업혁명 시대를 이야기하면서 학교의 역할, 마을의 역할에 대한 재조명이 많이 되고 있습니다. 학교는 지식을 가르치거나 전달하는 수준을 넘어, 학생들이 자기 자신을 이해하고 타인을 이해하고 남과 어떻게 관계를 맺을 것인지, 학생들이 미래 자기 삶의 주인으로 설 수 있도록 지식 너머의 삶을 바라보는 태도 등을 배울 수 있도록 토대를 만들어 주어야 합니다. 또한 마을은 학생들이 배운 내용을 삶 속에서 실천할 수 있도록 도와주어야 합니다.

이에 경기도교육청에서는 교육 생태계의 확장을 이야기하며 학교 공간의 재구조화를 꿈꾸고 있습니다. 학교가 마을과 함께 학생들의 삶을 일굴 수 있도록 학교 개방도 논하고 있지만 학교 현장에서는 또한 여러 어려움을 제기하고 있습니다. 현재 학교와 마을이 협력하여 일하기에는 여러 제도와 재정적인 뒷받침 없이 학교가 모든 책임을 떠안고 가는 구조에서는 학교 현장과 마을 간의 갈등만 유발할 수 있습니다. 당해 학교의 학생들에게 가장 필요한 내용, 중요하게 여겨야 하는 가치, 그리고 지속적으로 살아가야 할 미래에 대한 비전을 먼저 생각하고 필요한 내용에 대하여 지원을 요청하고 지속적으로 유지, 관리되기 위해서는 필요 시 재정적인 뒷받침이 약속되어야 하나, 현재 학교와 마을이 함께 하는 일을 지속하기에는 일회적이며 전시성 효과만 보여주고 있습니다.

예를 들면 2015년도의 마을교육공동체 동아리 사업, 2016년도의 마을축제, 2017년도의 학교-지역사회 연계 커뮤니티 사업 등이 장기적인 비전을 가지고 운영되기보다는 당해 연도 사업으로서의 역할만 하고 있습니다. 진실로 학교와 마을이 함께 협력할 수 있는 구조를 만들기 위해서는 학기 중간에 진행되는 사업이 아닌, 학년말 교육공동체 대토론회를 통하여 우리 아이들에게 필요한 내용이 무엇이며 어느 정도의 예산 또는 행정적인 지원이 필요한지 학교와 마을이 함께 돌아보고 필요한 내용에 대한 지원을 요청하면 지원하는 학생 중심, 학교 현장 중심의 교육행정지원이 필요한 시점입니다.

교육에 대한 재정권이 지자체에 있는 한 한해살이 사업성 교육이 되풀이될 수밖에 없는 상황이기에 교육지원청이 지자체의 예산을 받아 사업을 운영하는 형태가 아닌, 교육지원청은 학교 지원의 최전선에서 학교에 필요한 행·재정적 지원청으로서의 역할을 하며, 지자체는 학교와 마을에 필요한 예산을 장기적인 안목으로 지원할 수 있는 역량을 키워나간다면 학교와 마을이 살고, 마을에 사는 학생들을 살릴 수 있는 서로가 승리하는 Win-Win 정책이 될 것입니다.

마무리하는 글

글을 다 쓰고 친한 분들께 먼저 보여드렸는데, 한결같이 "야, 너 정말 고생했다. 일 많이 했네." 라고 말씀하셨다. 알아주는 마음이 고마웠지만 이 글을 읽는 분들마다 '이 선생님들 정말 힘들었겠다.' 혹은 '이 마을 사람들 대단하다. 끝!' 하면 어쩌나 싶었다. 한 친구는 짜증을 냈다. "네가 실천한 일들이 마을 사업의 문제를 강조해주면 좋은데, 그 학교 사례가 성공 사례가 될까봐 걱정된다. '교사들이 헌신하면 마을교육공동체 그거, 된다. 해봐라.' 하는 이야기가 되지 않았으면 좋겠어." 라고 말했다. 앞의 글은 1년 반 동안 마을 업무를 하면서 겪은 일을 일어난 순서대로 퍼붓듯 말했으니 이 장에서는 내가 이 업무를 하면서 한 고민과 질문을 정리해서 적어보려고 한다.

먼저 '마을교육공동체를 세우는 일이 필요한가?'라는 질문은 '거기 있는 마을'이나 그 필요를 보는 '사람들'로부터 시작해야 한다. 마을에서 필요를 느끼지 않고 함께 할 사람들이 아직 안 보인다면 천천히 가도 되지 않을까? 공동체는 위에서 판을 짜면 움직이는 조직이 아니다. 학교 현장에서 느끼는 가장 큰 괴로움이다. 마을이 보이지 않는데, 마을교육공동체에 관련한 사업 계획이 2월과 4월 사이에 내려온다. 책임감 넘치는 담당자들이 사업을 신청하고 실적을 만드는 일이 신기할 지경이다. 또한 주민들의 필요를 채우고 공동체를 이루는 일은 주민들 스스로 해 나가야 한다. 그 일은 학교의 영역이 아니라 지자체와 주민들이 함께 만들어 가야 할 부분이다. 내가 일을 해 보니, 학교에서 학부모 교육기부자 양성 프로그램을 운영하는 일이나 마을 축제를 주관하는 일은 무리였다. 시간이 걸리더라도 지자체가 주민들에게 필요한 장소와 예산을 지원하여 뜻있는 마을 주민들이 스스로 일어설 수 있는 바탕을 만들어주어야 한다. 학교가 해야 할 일은, 학생들이 사는 마을에 관심을 기울이고 소통하면서 학생들을 위해 필요한 일에 협력하는 것이다. 필요하다면 주민들과 함께 교육과정을 만드는 일도 의미가 있다.

주민들이 이용할 장소와 예산이 필요하다고 하면 교육청이나 지자체는 '학교 문을 열어라', '시설을 개방하라'고 한다. 하지만 그에 앞서 학교가 느끼는 불안을 알아주었으면 한다. 주민들이 운동장, 아카데미 공간 등의 시설을 쓰는 일을 제안할 때 학교(특히 교장선생님, 행정실장님)가 매우 예민해지는 모습을 보았다. 변화와 민원이 두려워서 철벽을 치는 학교의 모습에 좀 더 용기와 여유를 가져야 하지 않나? 하는 생각이 들다가도, 학교장이나 담당자에게 따라오는 업무의 양과 책임감이 무겁다는 점을 인정할 수밖에 없다. 시·도는 학교에 유연한 태도를 요청하기 전에 정책을 뒷받침할 제도, 인력, 예산 배정을 고민해 주었으면 좋겠다. 학교 안 시설을 이용할 때 별일이 없으면 가장 좋겠으나, 만약 사고나 피해가 있다면 함께 대화하며 책임지는 주민 문화를 만드는 일도 시급하다.

마을교육공동체를 이야기하기 전에 학교 공동체가 어떠한가도 매우 중요하다. 우리 학교는 혁신학교이다. 학교마다 모습이 다양하지만 그래도 우리 학교는 선생님들과 함께 수업을 이야기하고 서로 협력하는 일이 자연스럽다. 관리자 분들이 어렵긴 하지만 교사들이 하고 싶은 말을 아예 못 하거나 억지로 업무를 하는 일은 거의 없다. 학생자치회 '다울'과 학부모회 '꿈울' 활동도 활발하다. 5년 전부터 회복적 생활교육을 꾸준히 실천하고 있는 덕분이다. 우리 학교는 서로를 대하는 존중의 약속을 세우고 그것을 지키는 일에 뜻을 모으려 애쓰고 있다. 이런 분위기에서 근무하는 일은 거의 드물다고 둘레 선생님들께 들었다. 학교 분위기가 관료주의에 빠져있거나 개인주의 성향이 강한데 공동체를 이야기하는 일은 얼마나 어려운 일인가? 학교가 소통하는 힘이 있어야 학부모와 주민과도 더 깊고 넓게 생각을 주고받을 수 있다.

우리 학교는 이러한 환경과 한계 속에서 마을에 관심을 표현했다. 그렇게 보고 듣다 보니 신기하게 같은 생각을 하는 사람들을 학교 안팎에서 만나게 되었고, 찾아오는 분들을 사귀었다. 가까이하기에 너무 먼 당신이라고 밀어내다가도 시간을 허비하듯 이런 저런 이야기를 하면서 오해를 풀었다. 관계를 쌓으며 주고받은 이야기들이 모여 마을교육과정이 되었다. 협력하는 일은 번거롭지만 서로를 의지하면서 더 풍성한 수업을 만들 수 있었다. 굳이 학교 밖으로 안 가도 학부모회가 교육의 주체가 되니 마을을 더 쉽게 만날 수 있었다. 이런 분위기가 만들어지니 마을이나 학교에 대한 애정이 생겨 학교를 떠날 일이 아쉽고 걱정스럽기도 하다.

때로 마을 공동체라는 것이 실체가 있는 것인가, 몇 몇의 사람들이 움직인다고 해서 그것이 공동체인가 하는 생각을 할 때가 있다. 그때 함께 근무하는 박은지 선생님이 "공동체는 에너지야. 우리가 만들어가는 기운과 흐름이 있다면 공동체가 살아있는 거지." 라는 이야기를 했다. 선한 일을 위해 열린 마음, 필요를 보는 눈, 함께 걷고 뛰려는 손과 발로 우리는 함께 서 있다. 적은 수의 사람들이고, 때로 우리의 연약함과 이기심을 이기지 못할지라도 우리는 함께 공동체를 꿈꾸고 있다. 우리 학교 이야기를 일반화하기는 어려울 것이다. 그럼에도 이 글을 읽는 분들이 이 마을에서 꿈꾸며 사는 이들을 응원하고 기억해주었으면 좋겠다. 이 글이 이 마을을 알리는 통로가 되었으면 좋겠다.

이 모든 변화의 바탕에는 '관계와 공동체를 세우는 회복적 생활교육'의 철학이 있었다. 이 철학을 실천하기에 우리는 자주 넘어지고 서툴렀지만, 존중의 눈으로 교사와 교사, 학생과 교사, 주민과 교사를 대하려는 실천이 우리를 여기까지 이끌었다고 믿는다. 회복적 생활교육의 첫 씨앗을 뿌리고 말과 삶으로 이 글을 함께 쓴 박은지 선생님, 그 길에 함께 해준 학생들, 선생님들, 주민들께 감사의 마음을 전한다. 따뜻한 마음으로 도움을 주신 멘토 서용선 장학사님, 행복한 수업 만들기 선생님들, 절친 은미, 늘 성실한 혜진샘께도 마음을 남긴다. 때로 아내와 엄마의 역할보다 일이 앞설 때에도 늘 지지하고 도와준 사랑하는 남편, 강이와 온이.. 고마워!

끝까지 읽어주신 분들에게 평화의 인사를 드린다.

그리스도의 평화가 여러분과 함께. 愆